CHANGEZ VOTRE VIE!
"CHANGEZ DE VITESSE!"

NENA O'NEILL & GEORGE O'NEIL

CHANGEZ VOTRE VIE!
"CHANGEZ DE VITESSE!"

PRESSES SÉLECT LTÉE
1555 Ouest, rue de Louvain
Montréal, Qué.

DÉPÔT LÉGAL:
Bibliothèque Nationale du Canada
Bibliothèque Nationale du Québec
4ᵉ Trimestre 1977

Original Title: SHIFTING GEARS

À chacun de vous:

Ce qui est, était.
Ce qui était, est.
Ce qui devrait être:
vous-même forgeant votre destin.

SOMMAIRE:

PREMIÈRE PARTIE

Renouveler l'égo
dans un monde en crise.

1 — Changement versus mouvement.
2 — La crise culturelle.
3 — La maturité: un mythe!
4 — Changez de vitesse!

CHAPITRE 1

CHANGEMENT VS MOUVEMENT

Depuis le Mariage Open

Le Mariage Open, notre dernier livre, a été écrit dans l'espoir d'aider les gens à acquérir une meilleure compréhension des éléments qui concourent à de meilleures relations humaines et, également, pour aider l'Institution du mariage dans le monde d'aujourd'hui. Lorsque nous avons commencé notre recherche pour la rédaction de ce livre, dix ans auparavant, le mariage contemporain semblait traverser une époque déjà trouble. Le divorce était en constante augmentation; la qualité de la vie familiale changeait rapidement et beaucoup de gens étaient désillusionnés à l'égard de l'Institution du mariage elle-même. À une époque de changements sociaux cahoteux et parfois rapides, les relations humaines, pensons-nous — spécialement à long terme et de façon aussi intime que le mariage — n'offraient pas seulement quelque chose de valable, mais aussi un des meilleurs moyens de progrès personnel; et nous le pensons encore. Mais les changements sociaux qui sont intervenus au cours des cinq dernières années, en même temps que les réponses que nous avons eues après la publication du *Mariage Open*, nous ont de plus en plus montré clairement que le problème de relations dans notre société allait plus loin que le mariage lui-même. De nombreuses personnes se sentent molestées par la rapidité des changements qui interviennent dans la société dans laquelle nous vivons. Il semble à beaucoup d'entre elles que les règles du jeu changent pratiquement à chaque fois que l'on tourne le bouton de notre télévision ou que l'on ouvre un journal. La révision constante des barèmes moraux et des règles sociales à l'échelle mondiale a tendance à paralyser ceux qui s'y intéressent. Avec autant de choix à leur disposition, chacun en conflit avec les autres, et leur étant ainsi présentés, beaucoup pensent que le mieux est encore de ne rien faire! Quant aux autres, aux moins effrayés ou peut-être un peu plus impressionnables, ils auraient tendance à courir plusieurs lièvres à la fois, espérant seulement que s'ils tentent suffisamment de régler leurs problèmes, ils trouveront nécessairement une solution. Par contre, il devient de plus en plus apparent que les problèmes auxquels les gens doivent faire face augmentent en même temps qu'interviennent des questions étrangères à ces problèmes. Ces questions sont à peu près les suivantes: Comment pourrais-je faire face aux changements? Comment pourrais-je développer ma sécurité personnelle et ma maturité émotionnelle qui rendent possible mon évolution et me permettraient d'avoir de meilleures relations humaines? Il devient clair, cependant, que la crise actuelle du mariage vient d'un problème beaucoup plus fondamental: la relation de chacun avec soi-même et avec le monde dans lequel il vit.

Dans un monde où les options se multiplient et où les changements constituent une escalade, nous nous trouvons souvent démunis face à la façon de prendre nos responsabilités à l'égard de notre évolution personnelle.

Le problème est que nous apprenons à évoluer en fonction de plans arbitraires, établis par la société plutôt que par l'évolution potentielle de chaque individu reliée à ses propres besoins intérieurs. Il fut un temps où les plans sociaux qui fonctionnaient dépendaient de notre évolution. Et ce développement était synchronisé avec celui de cette société. À ces conditions-là vous pouviez facilement mesurer vos gains et vos pertes vis-à-vis de cette société. Mais la société d'aujourd'hui se présente à nous avec un tel lot de choix et d'options que nous ne pouvons guère les relier entre eux et, surtout, les relier à nous. Et quand notre égo n'est pas synchronisé avec cette société, nous devons faire face à un problème d'auto-contradiction qui peut, tout simplement, nous conduire à un isolement et à de l'anxiété. D'un autre côté, depuis que les plans soumis par la société sont les seuls desquels nous avons l'expérience, nous pouvons aussi avoir des difficultés à changer nos concepts personnels de réflexion. Quoiqu'il en soit, poussés par nos besoins intérieurs vers cette évolution, nous nous forgeons des obligations qui ne nous conviennent pas nécessairement. Dans ce désir de changement et d'évolution, nous allons à grande vitesse dans le sens de courants sociaux, de changements et de mouvements qui répondent à des stimuli extérieurs, essayant ainsi de nous mettre au diapason du monde qui ne sait pas, de toute façon, où il va. Nous essayons aussi de nous ajuster à de nouveaux styles et à de nouvelles modes; nous nous définissons seulement en termes de travail ou selon la perception que les autres ont de nous; nous jouons un rôle tout en déniant la personne qui tient ce rôle; nous adoptons de nouvelles et d'étrangères pensées que nous tentons d'accrocher à des échelles de valeur. Bref, nous patinons, suivant avec agilité les ordres, les *mass media* et copiant les habitudes de nos idoles. Si bien que le changement personnel devient, pour nous, une conformation superficielle aux habitudes des autres et à un environnement en perpétuel devenir.

Pourtant, nous savons fort bien que quelque chose dans tout cela sonne faux.

Nous avons l'impression d'être dans un concasseur d'où nous aimerions bien sortir. Coincés dans cette confrontation quotidienne, comment ne pas se sentir confus, inconfortables, démunis, prisonniers d'une monumentale solitude. Nos relations humaines deviennent insatisfaites et troubles; nous sommes en dehors de l'éventail réel de nos désirs et, de là résulte un sentiment de panique ou d'apathie.

Par contre, nous avons réussi à construire autour de notre égo un mur qui nous protège des changements extérieurs. Cependant, en plein coeur d'une révolution, la société ne nous donne pas de paramètres qui nous permettraient de nous guider. Personne nous a dit, et personne ne nous dit comment changer. Nul ne nous a dit comment nous adapter à un monde trop nouveau pour nous.

Voilà donc la raison pour laquelle nous avons écrit ce livre: *comment changer de vitesse* dans un monde en changement constant et comment nous intégrer à ces changements, mais de façon personnelle? Un réel changement personnel n'est, après tout, qu'une transition de l'ancien au nouveau, dans une voie qui donne, à notre égo, un sens réel. Mais rien n'aura de sens pour nous tant que nous n'aurons pas réagi à certaines frustrations, tant que nous n'aurons pas réaffirmé nos valeurs personnelles, tant que nous n'aurons pas exploré nos dimensions intérieures, tant que nous n'aurons pas appris où nous voulons aller et comment nous aimerions nous y rendre...

Changer, nous le devons, mais il est important que nous puissions choisir de le faire, et dans une direction que nous choisirions également. Plutôt que d'être entrainés par un courant, sans avoir le contrôle de notre direction et de nos intentions de changement, nous pouvons choisir de prendre charge de notre vie, et du dessein de notre stratégie de vie, afin de nous aider à faire face à ces changements. Et, plutôt que de suivre le plan de vie de quelqu'un d'autre, et à toute fin utile de se perdre parce qu'il ne nous convenait pas, nous pouvons apprendre à définir nos propres besoins et notre propre route. Et si nous décidons de ne pas changer dans certains domaines, nous savons parfaitement que c'est de notre propre volonté. C'est la seule façon de changer, en toute sécurité.

Paraître bien mais être malade

Dans cette quête que nous menons à vouloir nous adapter aux changements extérieurs, nous paraissons souvent en excellente santé, bien que nous soyons malades. Nous avons depuis longtemps appris à nous occuper davantage de notre façade extérieure plutôt que de nos besoins intérieurs profonds.

Nous allons voir le dernier film à la mode et nous en sortons déçus. Nous portons des vêtements *dernier cri* affirmant notre modernisme mais nous avons tout simplement l'impression d'être ridicules. Comme un acheteur dans un grand magasin à rayons, nous allons d'un étage à l'autre à la recherche de relations humaines qui pourraient soutenir notre intimité, mais nous ne trouvons personne et rien qui puisse nous convenir. Nous essayons de regarder dehors alors que nous nous sentons si vides à l'intérieur. C'est ainsi que, sans tenir compte de nos besoins, nous déployons de grands efforts à paraître en excellente santé et adaptés à toutes les nouvelles vogues et à toutes les nouvelles modes créées par notre environnement culturel mais qui ne sont, finalement que des changements artificiels. Pour comprendre pourquoi nous nous sentons si mal alors que nous déployons tant d'efforts pour paraître bien, nous voudrions surtout comprendre la différence qu'il y a entre le mouvement et le changement.

Aucun chapitre du théâtre contemporain n'illustre mieux ce que nous venons d'écrire que la révolution sexuelle.[1] Influencés, peut-être, par les média, nous essayons de nouveaux partenaires, de nouvelles positions et de nouveau stimuli que l'on peut acheter; tout ceci dans un effort pour trouver une liberté sexuelle et des orgasmes libérés.[2] Mais on se rend compte que, très souvent, tout ceci ne correspond pas nécessairement au mode d'emploi. Les livres deviennent agaçants, les films nous donnent l'impression de se répéter, les livres que nous lisons ne nous intéressent plus et les photographies que nous voyons nous semblent fades. Essayer donc de prendre à pleines mains cette joie du sexe dont on entend si souvent parler, nous amène à des techniques purement mécaniques. Éventuellement, tous les stimuli extérieurs ont également une fin et nous nous sentons, à ce moment-là, vidés. Un de nos principaux problèmes est bien que nous n'avons pas appris à faire la distinction entre un changement réel et un mouvement dans notre environnement extérieur.

Pour illustrer cette difficulté nous avons seulement à mettre en contraste le changement réel qui nous est offert par les scientifiques Master & Johnson qui font des recherches sur le comportement sexuel et le mouvement non directionnel représenté par la saga artificielle, émotionnelle, érotique du courant cinématographique et des magazines pornographiques. Laquelle de ces deux tendances choisirons-nous, Masters & Johnson ou la pornographie? Laquelle de ces deux tendances peut nous offrir une vraie valeur interne dans le sens de notre évolution personnelle et de notre changement? Lequel des deux violons aimeriez-vous jouer? À moins que vous ne préfériez jouer des deux! Êtes-vous en passe de vous faire emporter par le mouvement, plutôt que par un changement réel? Il est divertissant, certainement amusant pour certains d'entre nous et instructif même, de voir un film pornographique. Mais les changements qui nous sont offerts par les connaissances de Masters & Johnson et par leurs recherches sont certainement plus profitables.

La différence entre le mouvement et le changement peut également être perçue au travers de l'architecture de nos zones urbaines. Le mouvement est caractérisé par une urbanisation qui ne semble pas avoir de direction précise; par des édifices placés un peu n'importe comment et sans considération pour le bien être de toute la communauté: un beau parc peut être réaménagé en terrain de stationnement, ou pour faire place à un immeuble d'appartements ; tout ceci sans tenir compte des besoins de la communauté. Les bons voisinages sont fragmentés, les résidents sont relocalisés. Comparez ceci avec un changement bien ordonné qui va dans le sens d'une innovation architecturale dans laquelle les couleurs sont intégrées; l'ancien et le nouveau le sont aussi! Une bonne planification architecturale marie ce qu'il y avait de beau dans le passé et ce qu'il y a de bien dans le présent.

Quelque chose peut nous montrer la différence entre le mouvement et le changement dans les relations personnelles. L'homme qui se marie quatre fois, toujours avec le même type de femme, et qui divorce quatre fois, représente un mouvement mais pas un changement. Dans chacune de ses relations, il a les mêmes problèmes parce qu'il n'a pas planifié, il n'a pas observé, il n'a pas analysé et senti ses besoins de changement. Mettez donc en opposition celui-ci avec cet homme divorcé qui a investi suffisamment de lui-même pour apprendre, non seulement à son sujet mais au sujet de ses besoins, en plus de ceux de sa partenaire. Et comment il pouvait arriver, avec elle, à une communion. Chaque relation est un pas de plus vers une évolution personnelle et quand, finalement, il se remarie, il a changé et il a grandi dans un sens personnel. Il peut maintenant faire un pas de plus et rencontrer les échéances que le mariage impose.

Dans chacun de ces exemples, la différence entre le mouvement et le changement est apparente. Le changement représente une réelle coupure avec le passé. Il est planifié, il a une direction et il intègre l'ancien avec le nouveau, se transformant et émergeant des deux à la fois. Un réel changement interne représente un choix et un contrôle. Il offre un défi et une évolution, tandis que, de l'autre côté, le mouvement nullement planifié n'est motivé que par des désirs momentanés. Le mouvement ne se base ni sur la sélection, ni sur la continuité. Il n'offre, finalement, qu'une aliénation et de l'anxiété. Alors qu'un réel changement nous offre de nouvelles opportunités d'enrichissement.

La réponse au *Mariage Open* illustre bien la différence entre le mouvement et le changement. *Le Mariage Open* avait été conceptualisé comme un modèle pour un changement intérieur dans un monde qui exige une révision nécessaire de notre approche du mariage. La nécessité d'une relation plus égale, plus honnête et plus intime entre les partenaires du mariage requiert une plus grande flexibilité des rôles. Nous avions mis l'accent sur des éléments tels que l'intimité, la communication, l'identité, l'égalité et la confiance, des facteurs importants dans les relations et dans cette évolution. *Le Mariage Open* était un rapport positif sur le mariage. Il avait été écrit en réponse à ces changements extérieurs de notre société qui agissent sur notre changement intérieur.

Aussi, ceux qui sont concernés par des mouvements superficiels ont mal interprété *le Mariage Open*. Le modèle n'était pas une prescription pour un mariage délabré ou joyeux ni une prescription pour un relâchement des responsabilités. *Le Mariage Open* est un modèle pour un changement et une évolution du mariage: il fait appel à la compréhension dans les relations entre un changement extérieur et un changement intérieur.

Aussi longtemps que nous essaierons de nous soumettre aux mouvements extérieurs plutôt que de découvrir comment agir sur des changements intérieurs, nous nous trouverons assaillis par de terribles anxiétés, des conflits et des désillusions. Nous donnons l'impression d'être en bonne santé parce que nous allons vers chaque mouvement extérieur, cherchant une voie pour être acceptés et, par là même, pour essayer de nous convaincre nous-mêmes. Or, dans ce processus, nous avons l'impression d'être en mauvaise posture parce que nous avons perdu notre centre d'équilibre et notre égo.

Une surabondance d'options

Le monde dans lequel nous vivons actuellement est un véritable kaléidoscope d'options que nous pouvons visionner, tel un film passé à très grande vitesse. De nouveaux genres de vies, de nouveaux produits, de nouvelles relations et de nouveaux problèmes prolifèrent quotidiennement. Les changements, c'est certain, ont suivi toute l'évolution de l'humanité et chaque société a rencontré ses crises de révolution. Certaines de ces crises ont été traversées avec succès, d'autres non. Mais aujourd'hui, les gens de notre société, et partout à travers le monde, doivent faire face à beaucoup plus de changements qui interviennent beaucoup plus rapidement que jamais dans l'histoire de l'homme. Et l'effet de tout cela est que l'homme se trouve désorienté. Parmi tous ces changements, il y en a beaucoup qui sont étranges et, surtout, inconfortables pour nous. Par contre, il y en a beaucoup d'autres qui peuvent nous donner beaucoup de joie, de santé et une vie plus intéressante. Certains d'entre nous peuvent être blâmés d'être suspicieux à leur égard. Le plus pessimiste sent roder la fin du monde autour de lui: les structures familiales se désagrègent, le mariage apparaît comme quelque chose de purement casuel et établi sur des relations humaines interchangeables, l'éducation ne semble pas atteindre ses effets, la pornographie et la pollution abondent, la moralité et les règles d'éthique ont été jetées par la fenêtre. Le plus optimiste, lui, semble voir dans ces changements un nouveau mode de réflexion à l'égard d'un futur qu'il pourrait contrôler. Et, quelque part au milieu de ces deux extrêmes, il subsiste une zone intermédiaire qui peut conduire à notre accomplissement individuel.

Face à ces fortes mutations qui semblent avoir pris le dessus dans notre vie, et que nous n'avons pas appris à contrôler à des fins personnelles, un sentiment de désorientation est inévitable. Posons-nous quelques questions : « Où dois-je me placer ? » — « Que va-t-il m'arriver ? » — « Où se situent mes besoins de base ? » — « Comment pourrais-je faire pour ne pas seulement survivre, mais vivre avec ces changements ? » La seule réponse que la société nous donne est de changer. Nous sommes aveuglés par les combines. Combines après combines. « Dépêchez-vous, dépêchez-vous, ceci est la voix de votre salut ! » Aujourd'hui l'astrologie, demain le yoga, mardi le *biofeedback* et on vit, comme ça, d'une chose à l'autre. Il vous reste encore le choix de Billy Graham, les *Jesus freaks*, ou bien le dernier guru venu des Indes. Allez-vous préférer le mariage de groupe à la monogamie ? Vous en avez entièrement le droit si cela vous plaît, puisque tous les journaux en parlent. Sexuellement, vous pouvez faire ça en petits comités ou en grands comités. Si votre petite famille nucléaire vous ennuie parce qu'elle vous semble étroite aux entournures, vous pouvez toujours faire partie d'une commune ; puisque tous les grands journaux et tous les magazines féminins en parlent, c'est que ce doit être bon ! Et si, pauvre chose, vous étiez adultes bien avant d'avoir entendu parler de la crise de la post-adolescence, vous pouvez toujours vous payer le luxe d'une crise de la quarantaine. C'est gratuit. Est-il si bizarre que nous voyions tant de choses étranges autour de nous ? Pouvons-nous réellement être surpris de voir des jeunes se brûler avant leur âge et même de voir leurs grands-parents claquer des doigts, danser et sauter dans une quête désespérée de leurs jeunes années perdues ? Ne vous inquiétez pas, nous achetons le dernier *gadget* pour l'assortir à la dernière philosophie, de plus en plus convaincus que l'habit fait le moine. Convaincus également que cet habit sera un substitut à l'amour, un défi à la créativité.

Malheureusement il n'y a rien de nouveau sous le soleil et les substituts n'existent pas encore.

L'engagement: une sécurité.

Dans cette crise culturelle, telle que celle que nous traversons, il est essentiel que nos engagements aient une signification spéciale. Nous continuons à avoir faim d'amour ainsi que nous le disons. Au fond de notre coeur, nous savons que notre vie ne peut être quelque chose d'entièrement accompli pour l'homme sans défi et sans créativité. Par contre, nous avons tendance à être particulièrement sceptiques en ce qui regarde nos engagements en cette ère de dérèglements sociaux. Par quelle porte de cette société devrions-nous nous engager ? D'autant plus que les choses changent quotidiennement, et dans toutes les sphères: Les prêtres et les ministres mettent leurs supérieurs hiérarchiques au pied du mur ; nos idéaux politiques sont largement déçus par nos *leaders* ; les groupes et les communautés desquels nous dépendons disparaissent ; le nombre des divorces augmente et les familles sont séparées, évoluant vers d'étranges formes familiales. Et même nos enfants, pourtant nés dans un monde de changements, questionnent notre engagement vis-à-vis d'eux, dans cette génération de conflits permanents. Non seulement nous sommes désorientés par la myriade d'options que notre monde nous offre, mais nous sommes également coupés d'une constellation de valeurs familiales, d'idéaux, et de causes qui auraient pu appuyer notre engagement le plus sincère.

Ce profond malaise que Kenneth Kenniston décrivait à notre jeunesse dans *The Uncommitted*, il y a quelques années, nous a maintenant tous atteints, quel que soit notre rang et quel que soit notre âge. Dans un monde de flux aussi rapide dans lequel nos racines sacrées pour la terre, la religion, la famille ont disparu plus vite, au point que nous en perdons même la trace, il semble de moins en moins possible d'y croire. Et lorsque nous sommes complètement désillusionnés à cet égard, il est encore plus difficile de vouloir accepter un engagement. Tout cela semble plutôt être un engagement à du court terme, des gains, des profits et des possessions, la manipulation pour la survie. Aussi, nous nous posons des questions sur la nature de l'engagement lui-même. Parce que cet engagement que nous aurions dû prendre à un certain âge, cet engagement à un plan de vie que nous n'avions pas élaboré pour nous-mêmes, et quand notre engagement à des buts spécifiquement matérialistes a également échoué, nous avons tout rejeté, engagement avec. Ainsi, nous avons besoin d'un engagement dans notre vie. L'engagement c'est le coeur du changement constructif, de l'évolution ; et il est aussi vital à nous-mêmes qu'à nos relations. Dans *le Mariage Open*, nous avons essayé d'aider les gens à comprendre ce qu'était l'idée de la relation. Mais une relation humaine seule ne peut pas, aussi bonne qu'elle soit, nous protéger entièrement de la confusion dans laquelle est plongé le monde extérieur dans lequel nous nous trouvons aussi entraînés. Car nos relations intimes dépendent aussi de ce monde extérieur. Chaque personne, dans le mariage ou en dehors de lui, existe dans un monde qui, à cause de son extraordinaire taux de changements contemporains, est appelé à donner naissance à des conflits intérieurs et à des désillusions. Ainsi, si quelqu'un vous aime, cela vous aide considérablement à évoluer; et le support que vous apporte votre partenaire est un actif fantastique. Mais ce n'est pas assez. Surtout pas dans un monde où les changements demandent de nouvelles décisions et de nouveaux choix chaque jour, un monde où vos enfants vous apparaissent comme des martiens, un monde dans lequel toutes les traditions se perdent. Pas dans un monde où les valeurs fluctuent tels que des prix à la bourse, ou à une époque où vous n'êtes même pas certains du lendemain. Dans un monde changeant aussi rapidement que le nôtre, chacun de nous a parfois l'impression d'être un prisonnier revenant de guerre après une absence de huit ans.

Mais s'il n'y a aucune protection de ce monde extérieur, existe-t-il un espoir de sécurité personnelle ? Le petit monde confortable de nos relations intimes ne nous offre qu'un tout petit paradis. Car, même en retrait de la société, nous ne pouvons pas espérer échapper à l'influence du monde extérieur. Chaque changement peut nous offrir matière à évolution; chaque adversité apparente peut être changée en avantage si nous savons comment le faire, si nous savons ce que nous voulons, si nous sommes capables de relever les défis. Mais l'homme ne peut pas, en vérité, vivre sans stimuli et sans défis dans sa vie. Et sans stimuli venant de ce monde extérieur, nous ne pouvons guère grandir.

Les crises comme clés de la croissance.

Maintenant il est certain que le monde d'aujourd'hui nous envoie trop de stimuli, et trop rapidement. Lorsque nous allons dans un parc d'amusements nous éprouvons beaucoup de plaisir aux différentes choses qui s'y trouvent : les manèges, les montagnes russes, le tunnel des horreurs. Mais entre chacune de ces périodes d'excitation, nous avons le temps de marcher et de nous promener entre les différents kiosques, de manger un *hot-dog*, de nous asseoir sur un banc, de nous reposer au soleil. La société moderne aurait tendance à nous priver de ces moments de quiétude si nécessaires entre des périodes d'excitation. Le problème est alors le suivant : comment utiliser les stimuli que la société nous envoie à des fins personnelles de croissance, sans être nécessairement dominés par eux ?

Lorsque nous nous sentons dominés, nous pouvons définir cette situation comme une période de crise. Trop d'options, trop de stimuli et pas de barèmes pour nous guider, voilà ce qui peut créer une crise. Dans une telle situation, peut-on s'étonner que le jeune succombe à la drogue ? Peut-on s'étonner de voir l'homme et la femme de 35 ans se poser des questions ? Ou l'homme de 50 ans remettre en question sa virilité et réévaluer ses anciens défis ? Ou la femme de 40 ans se pencher sur son passé et demander : « Qu'ai-je fait de ma vie ? »

Rien n'est plus normal que ces crises dans ce monde qui est le nôtre. Rien n'est plus normal que de pleurer sur son avenir. Mais ce qui est anormal, c'est la manière avec laquelle nous traitons ces crises. D'accord, nous ne trouverons guère la sécurité ou la solution à nos problèmes en courant après les panacées que les journaux nous offrent tous les jours. Beaucoup d'entre nous réalisent que ces crises sont normales tout en étant une part inévitable de l'existence humaine. Beaucoup d'autres réaliseront que la seule sécurité dans la vie est quelque chose qui existe en dehors de soi-même et qu'on ne bâtira jamais de murs assez hauts, ni de luxe assez grand pour nous protéger.

Mais ce que beaucoup d'entre nous ne savent pas, c'est comment faire face aux changements et aux crises de façon positive. Ce que beaucoup d'entre nous ne réalisent pas, ou ne comprennent pas assez, c'est comment arriver à cette découverte de soi-même qui est la vraie sécurité, ou comment atteindre cette évolution personnelle ? Il y a des centaines d'étagères de livres dans les librairies ainsi que dans les bibliothèques qui concernent le développement de l'enfant, depuis sa naissance jusqu'à sa puberté, de son adolescence jusqu'à l'âge adulte. D'un autre côté, il n'existe presque pas de livres s'intéressant au développement naturel de l'adulte. Pourtant, nous ne cessons d'évoluer !

Certaines personnes ont même un don naturel, un instinct d'évolution. Mais elles sont rares.

L'évolution psychologique et interne fonctionne bien, une fois que nous avons appris à nous servir de cette machine qui est soi. Chacun de nous pourra exercer un contrôle considérable sur l'extérieur, pourra apprendre à négocier avec ce monde extérieur dans ses propres termes. En fait, nous pourrons réellement apprendre à *changer de vitesse* et à nous mettre au diapason de ces changements extérieurs qui sont, quand même, essentiels à notre vie intérieure.

Les garanties sont suspendues

La société nous a appris que si nous faisions un bon choix lorsque nous étions de jeunes adultes, nous serions tranquilles pour le reste de notre vie. Durant les 15 ou 30 premières années de notre vie d'adulte, beaucoup d'entre nous, hommes et femmes, cherchent donc à établir ces fondations que la société nous enseigne et nous impose comme des garanties de sécurité et de contentement: un avancement dans notre carrière, une famille, la propriété d'une maison, l'accumulation de biens matériels. Nous ne rejetterons pas ces points qui ne sont pas tous sans valeur. Pour beaucoup d'entre nous ils sont, en effet, des défis naturels impliquant cette phase de notre vie d'adulte tandis que nos énergies sont à leur meilleur et que notre esprit de compétition est à son plus fort. Ce qui est faux, par contre, c'est que la réussite de tous ces défis nous garantira une vie complètement heureuse. Importants, ils le sont ; garantis, ils ne le sont pas.

Pierre, un photographe de studio dans la quarantaine, nous raconte son expérience : "J'ai toujours pensé, dit-il, que lorsque j'aurais terminé de payer mon studio, les hypothèques de la maison, et que les enfants seraient assez grands pour s'arranger seuls, je serais un homme tranquille. Je pensais que je n'aurais plus de problèmes. Mais tout n'a pas fonctionné comme je l'avais envisagé. J'ai travaillé très fort et j'ai fait face à toutes mes obligations. Mais tout ne s'est pas passé comme je l'aurais cru. Avec ce studio, j'ai été longtemps prisonnier. Il m'est même arrivé d'envier ces gars qui passaient leur temps à rouler à travers le monde pour prendre des photos pour *UPI* ou pour l'*Associated Press*, et qui donnaient l'impression de s'amuser en travaillant. J'ai une belle maison. Mais nous avons passé au moins 15 ans attachés à la croissance de nos enfants. Maintenant ma femme en a marre. Elle voudrait déménager dans un appartement, comme au début de notre mariage. Ces temps-ci, nous avons l'impression de perdre la moitié de notre temps à essayer de chercher ce qui n'a pas marché. Et surtout, nous croyons avoir perdu notre temps. Je n'ai pas l'impression qu'actuellement nous savons vraiment ce que nous voulons."

Lorsqu'il avait 20 ans, Pierre plaçait toute sa croyance dans le mythe d'engagements à long terme qui pourraient lui garantir une vie meilleure. Mais il avait ignoré toutes les probabilités de changements. Autant le changement de ses besoins que le changement des circonstances du monde qui l'entourait.

En fait, ce concept de réussite tel que nous l'entendons joue souvent contre la nature de l'homme et nous affecte tous. En fait, comme dans un sport, le jeu de la vie n'est pas fini tant que le dernier coup n'a pas été lancé.

Cette désillusion dont Pierre nous a fait part est devenue quelque chose d'épidémique au cours de ces récentes années. De nombreux observateurs ont remarqué que ce phénomène était exclusivement associé à l'étape qui marque la moitié de notre vie. La plupart des étudiants *drop-out* que nous avons rencontrés ont pour raison, en ce qui les concerne, qu'ils ne croient plus aux *garanties* de ce mythe d'antan. Ils veulent trouver autre chose que cette carrière qu'ils recherchaient auparavant. Ces jeunes gens ont surtout été fortement impressionnés par la désillusion de leurs ainés et en ont beaucoup appris d'elle. Beaucoup d'entre eux cherchent quelque chose de plus réaliste, une approche plus ouverte sur leur vie d'adulte.

L'impression d'avoir été abandonnés par le mythe de la garantie peut également arriver tard dans la vie. Il peut atteindre une femme qui est dans la cinquantaine et dont le plus jeune de ses enfants a quitté la maison pour voler de ses propres ailes. Il peut miner la conscience d'un homme ou d'une femme qui ne sont pas préparés à une certaine retraite. Mais quel que soit l'âge à partir duquel ce manque de confiance débute, c'est déjà un signal qu'il faut changer de vie. Trop de gens se résignent tout simplement « J'ai commis une erreur, disent-ils, mais je m'habituerai à vivre avec elle. » D'autres réagissent avec panique, accomplissant des changements drastiques dans leur vie, juste pour le plaisir de faire quelque chose sans tenir compte, pourtant, de leurs besoins véritables.

Une stratégie de vie comme clé d'un changement

Ni la résignation, ni la panique ne sont nécessaires. Nous pouvons continuer à évoluer tout au long de notre vie ; nous pouvons découvrir de nouvelles possibilités en nous-mêmes ; nous pouvons aussi trouver la mesure de notre sécurité intérieure. Mais, pour *changer de vitesse* avec succès au cours de ces crises, pour passer d'un stade de vie à un autre stade, nous devons d'abord parfaitement comprendre les changements qui existent dans l'évolution psychologique de notre vie d'adulte. Ce livre a été écrit pour vous aider à développer une stratégie de vie qui vous donne la flexibilité dont vous avez besoin pour négocier avec ces changements, autant au niveau personnel qu'au niveau social. Une stratégie de vie établie pour vous et par vous, et qui peut vous aider à *changer de vitesse* à un moment opportun de votre vie. Elle peut surtout vous aider à accomplir des changements positifs, à passer en toute sécurité cette crise naturelle et inévitable, quitte à la transformer en quelque chose de constructif et de créateur. Une stratégie de vie sérieuse peut vous aider, à tout âge, à réévaluer et à restructurer votre existence, tout en tirant tous les avantages de votre potentiel pour continuer à évoluer... C'est ce que pourrait représenter pour vous cet engagement pour une meilleure sécurité personnelle.

CHAPITRE II

LA CRISE CULTURELLE

Un peu de raisonnement

Avant de s'occuper des crises normales de l'humain adulte, il peut être intéressant de comprendre comment ces crises agissent sur nous. Le mot crise est un mot grandement employé par les journalistes. On entend constamment parler de la crise du dollar, ou de la crise de l'énergie ou de possibilité de crise constitutionnelle. Et dans ces contextes-là, nous savons très bien de quoi il s'agit. Cela signifie que les choses vont mal et que nous devons agir. Mais, crise au sens psychologique est beaucoup plus complexe que cela. Pour commencer, il est important que nous comprenions qu'une crise psychologique est anormale. La puberté, par exemple, est un moment de crise psychologique pour tous les êtres humains ; le début de la vie sexuelle, pour un adolescent, le force à se voir lui-même selon de nouveaux critères, à changer quelques-unes de ses conceptions, de ses relations avec le monde, avec les autres personnes. Voilà donc ce que sont des crises psychologiques.

Les crises normales de l'âge adulte font partie de notre processus de croissance qui commence avec la naissance et ne se terminera qu'avec la mort. Nous posons tous des questions. « Où vais-je ? » — « Qui suis-je ? » — « Est-ce bien cela que je voudrais faire ? » Ces questions sont normales et ne devraient pas être une cause de grand chagrin. La société nous a conditionnés à penser que si nous embrassons la bonne carrière, si nous choisissons le bon partenaire, nous aurons une vie heureuse. Ainsi, il faut croire dur comme fer dans ces mythes de la garantie et nous n'avons pas à les réévaluer au cours de notre vie d'adulte. Mais nous sommes toujours surpris lorsqu'au bout de 10, 20 ou 30 ans, nous constatons que nous avons commis certaines erreurs. Nous sautons donc aux conclusions que quelque chose, dans ce mythe, est faux. En fait, nous entrons dans un nouveau stade de développement, une nouvelle période de notre croissance. Ces périodes de réajustement sont différentes de celles de l'époque de la puberté, mais elle ne sont pas moins normales. Elles aussi peuvent nous conduire à une meilleure évolution. Le mot-clé au cours de ces périodes de croissance devrait être: Postulat. Chacun de nous commence sa journée avec un certain nombre de postulats : le soleil va se lever, le facteur va passer, il y aura de la nourriture à l'épicerie, nos enfants vont revenir à la fin de la journée. En fait rien n'aura changé dans le monde lorsque nous sortirons de la maison. Tout sera à sa place. Pour quelqu'un qui était un enfant 20 ans plus tôt, certains de ses postulats peuvent être appliqués : l'air était bon à respirer, l'eau était bonne à boire, le policier pouvait intervenir sitôt que vous l'appeliez, vous pouviez rencontrer votre médecin aussitôt que vous en aviez besoin, vous pouviez faire confiance au gouvernement. Mais les enfants actuels ont des postulats différents à l'égard du monde qui les entoure.

Aussi, lorsque notre lot de postulats est mis en doute, nous sommes en pleine crise.

La crise normale

Mais prenons un exemple concret. Marie-Claire est mariée depuis 17 ans. Elle a 3 enfants dont les âges s'échelonnent de 15 à 5 ans. Elle vit en banlieue d'une grande ville. Son mari, Georges, travaille en ville. Marie-Claire n'a jamais occupé d'emploi depuis son mariage et elle se définit elle-même comme épouse et mère. Elle croit qu'elle a eu beaucoup de succès dans ces deux métiers et elle a toujours été fière du rôle qu'elle a joué dans la vie.

Mais graduellement, au cours d'une période de plusieurs mois, Marie-Claire a commencé à se sentir sur la touche. Le plus jeune de ses enfants est maintenant à l'école élémentaire et, pour la première fois depuis des années Marie-Claire jouit de plus de loisirs pendant la journée. Elle est absolument surprise de découvrir à quel point ses heures lui semblent vides. Tandis qu'auparavant elle souhaitait tellement avoir du temps à elle, maintenant qu'elle l'a, elle ne sait plus qu'en faire. Assise seule dans sa cuisine jusqu'à très tard dans la matinée, buvant ses quatre tasses de café, elle imagine qu'elle sera mieux lotie lorsque ses enfants seront beaucoup plus vieux et moins dépendants d'elle.

En fait, ce que Marie-Claire est en train de faire, c'est de remettre en question ses postulats. Dans le passé ses rôles d'épouse et de mère de famille avaient toujours été intimement liés. Mais soudainement, elle n'en est plus tout à fait certaine. Et, plus elle y pense, plus elle se soucie. Elle est, en fait, en pleine crise ; crise certainement normale mais crise quand même. Marie-Claire a 2 ou 3 amies qui sont fortement impliquées dans des mouvements de libération féminins. Prenant le pas sur elles, elle a décidé que l'état de femme d'intérieur était un rôle qui ne lui allait plus. Voilà une des raisons pour lesquelles elle ne semble pas heureuse. Mais si elle redéfinit seulement la situation, en se disant que cet engagement était réellement une sorte d'esclavage, elle a amplement trouvé matière à devenir amère au sujet de ses années *perdues*, sans pour autant découvrir d'autres formes d'engagement. Si elle doit évoluer en tant que personne humaine, elle doit réévaluer ces années pendant lesquelles elle a été femme d'intérieur et, maintenant, dans le présent, se redéfinir face à sa nouvelle situation. Elle devra reconnaître que ses vues vis-à-vis de cette situation ont changé parce qu'elle-même a changé.

Ainsi, lorsque Marie-Claire aura identifié la crise pour ce qu'elle est, elle pourra procéder à une évaluation, tout en se donnant le temps d'explorer l'alternative disponible et trouver de nouvelles approches. Lorsqu'elle aura décidé d'une solution, lorsqu'elle agira dans le sens de cette décision, Marie-Claire émergera avec une nouvelle conception d'elle-même et de ses relations vis-à-vis du monde extérieur.

Les étapes de cette crise, jusqu'à l'émergence d'une nouvelle conception, ont été décrites dans les paragraphes précédents et seront développées beaucoup plus en détail dans les chapitres suivants. Nous définirons pourquoi ces étapes sont nécessaires et comment développer une attitude personnelle devant conduire au succès. Pour l'instant, le point principal que nous souhaitons éclaircir est de réévaluer vos postulats à différentes étapes de l'évolution de votre vie d'adulte. C'est une chose parfaitement normale, et même vitale pour la suite de votre évolution personnelle.

La société en tant qu'hypothèse

Le genre de crise intérieure à laquelle nous faisons allusion, et dans laquelle notre hypothèse devient une question, peut exister à cause de l'influence de plusieurs facteurs, différents et individuels, ou à cause de la combinaison de ces facteurs. Cette crise peut se développer en dehors des considérations internes primaires. Sinon, elle peut être amenée par ce qui est largement vu comme influence extérieure, comme, par exemple, quand un mari informe soudainement son épouse **‹** qu'il aime une autre femme et qu'il désire divorcer. **›**

Si une telle femme a toujours pensé que son mariage était absolument parfait, la déclaration de son mari ébranlera violemment sa croyance, la forçant à définir, simultanément, sa situation, (son mariage) et elle-même. Dans de nombreux cas, bien entendu, des facteurs qui conduisent à une telle crise feront une combinaison d'éléments internes et externes.

Dans le monde d'aujourd'hui, de toute manière, l'influence de forces extérieures est plus grande qu'elle ne l'a jamais été auparavant. Un changement social a toujours eu ses effets à long terme sur nos relations personnelles. Mais le taux extraordinaire de courants actuels fait que leurs effets sont perçus plus rapidement et plus profondément.

De nombreux barèmes de pensée et d'attitude ont rapidement évolué pendant ces dernières décades. Dix ans auparavant, le roman d'amour entre Elizabeth Taylor et Richard Burton durant le tournage du film *Cléopâtre* était considéré comme un scandale de la première page ; aujourd'hui cela n'émeut absolument personne. Dix ans auparavant, un avortement était tenu absolument secret ; aujourd'hui l'éthique même de l'avortement est débattue sur la place publique. Dix ans auparavant, une femme qui insistait pour avoir les mêmes droits que son mari au travail était mal vue ; aujourd'hui c'est un lieu commun. Dix ans auparavant, rares étaient les couples qui discutaient ouvertement de leurs problèmes sexuels ; de nos jours, nombreux sont les couples qui n'hésitent pas à rencontrer un professionnel de la question.

Tout ces changements ont, en retour, modifié le sens des relations entre les hommes et les femmes. Des millions de gens se questionnent sur les priorités qu'ils doivent accorder à leur vie, et selon quelles échelles de valeur ils doivent définir ces priorités. De telles questions sont posées à tous les niveaux de la société et dans tous les coins du pays. Un groupe de femmes mariées que nous avons interrogées dans une banlieue de l'Ouest, par exemple, affichaient un dédain marqué à l'égard des mouvements de libération de la femme ; bien que de nombreux problèmes les concernaient : l'égalité salariale, la reconnaissance de leurs droits personnels, la liberté de développer leurs propres capacités au même titre que les dirigeantes de ce mouvement.

Or, il découle de cela de nombreuses questions qui sont le résultat inévitable d'une confusion personnelle. Tant de nouvelles idées, tant de nouveaux choix, ont surgi durant la dernière décennie et ont effrité notre sens de la continuité, déformé les perspectives de nos relations avec les autres gens, autant dans notre travail que dans nos institutions. Dans son livre, *Man and System,* Turney-High écrivait, « Une crise est, par définition, n'importe quel problème ou situation sociale auxquels il n'y a pas de réponse toute faite. » Nous expérimentons beaucoup plus de crises personnelles aujourd'hui et avons de plus grandes difficultés à définir leurs causes, parce que nous vivons, en fait, en pleine crise culturelle.

Les nouveaux choix, apparemment, nous donnent une plus grande liberté de choix. Mais ces nouvelles options ébranlent les structures que nous devons ériger afin de recevoir ces nouvelles options, ainsi qu'une nouvelle technologie destinée au bon usage du bénéfice de nos besoins humains. Ainsi que le journaliste Russell Baker l'a dit : « Trop souvent, ainsi que l'expérience nous le démontre, une nouvelle avance scientifique ou technologique nous montre comme il serait facile d'exploiter, de manipuler ou de nous exterminer. » La technologie ainsi que les options qu'elle apporte, évolue plus vite que les structures qui pourraient les recevoir. Nous perdons facilement la trace des valeurs qui pourraient nous maintenir dans la course, valeurs qui sont universelles, substantielles et humaines. La société, dans son ensemble, se questionne elle-même sur ses propres postulats. Lorsque nous, en tant qu'individus, vivons nos crises personnelles, nous ne pouvons pas faire appel à nos références culturelles puisqu'elles sont, elles-mêmes, en état de crise. Dans une crise de culture, il n'y a pas, là non plus, de réponses toutes faites. Nous n'avons pas été capables de développer une échelle de valeurs propre à évoluer avec le reste. Aujourd'hui nous avons besoin de chercher ailleurs de nouvelles méthodes qui renforceraient les valeurs et qui établieraient des normes de pensée susceptibles de nous guider au travers de ces changements.

Le sens de notre perte du rituel

Nous pourrions mieux comprendre la signification de ce relâchement de structure dans notre société si nous regardions ce qui arrive dans une société dans laquelle la culture aide l'individu à trouver sa voie à travers les crises de base de sa vie.

Dans de nombreux petits groupes primitifs, les crises des cycles de base de la vie — naissance, puberté, mariage, paternité, vieillesse et mort — sont connues et traitées selon leur importance pour l'individu et son intégration à une culture dans laquelle il vit. Et pas seulement ces évènements de base, mais n'importe quel autre changement est l'occasion d'apporter davantage à la connaissance des autres.

Dans un sens terrestre ou planétaire réaliste, ces sociétés reconnaissent que d'évoluer dans la vie, d'une situation à une autre, est une crise en soi ; qu'un nouvel état destine également à prendre de nouveaux rôles, de nouvelles responsabilités, de nouvelles manières de penser, et de nouvelles relations. Les cérémonies, les mises à l'épreuve, les apprentissages et longues périodes d'initiation, dans lesquelles chacun, dans ces sociétés, se trouve impliqué, servent à donner à l'individu un sens d'identité et d'intégration à l'ensemble de sa tribu. Dans ces sociétés primitives, les mentors traditionnels et les gardiens conduisent l'individu au travers de ses initiations jusqu'à son nouveau statut. Ainsi, pleinement instruite, initiée avec pompes et avec decorum, rituel, fêtes et cérémonies, cette nouvelle personne est *lancée* tout comme on lance un nouveau navire.

Dans notre société, bien entendu, nous sommes trop sophistiqués, trop *civilisés* pour avoir besoin de ces apparats enfantins. Nous serions même portés à en sourire, bien qu'ils nous fascinent. Peut-être qu'en dépit de notre sophistication, nous réalisons que nous perdons quelque chose. Dans notre propre monde, les cérémonies de mariage sont devenues plus informelles, chaque jour, les enterrements de vie de garçon sont un rituel du passé, les banquets que l'on offre aux retraités et la présentation d'une montre en or ont disparu en même temps que la bonne vieille entreprise familiale de jadis. Le *Bar Mitzvah* des Juifs, les premières communions et les confirmations existent bien encore aujourd'hui mais sous une forme diluée. Si bien que les seules personnes qui semblent réellement éprouver un certain plaisir à ces cérémonies ne seraient que les politiciens !

Ainsi le rituel, le rythme de passage a eu, dans le passé, une force certaine, autant dans les sociétés primitives que dans les sociétés avancées, pour la cohésion du système social. Il représentait et réaffirmait la solidité du groupe et l'intégration des individus à ce groupe. Un rituel, vu dans ce sens, est un acte de reconnaissance et de confirmations. Mais c'est également un mécanisme de protection, établi pour marquer la transition d'un état à un autre et pour aider l'individu à s'ajuster à son nouveau statut.

Dans son analyse classique, *Rites of Passage*, Arnold Van Gennet décrit les trois étapes de tels rituels : la première est la séparation (de l'ancien groupe), suivie d'un stade de transition (préparation au passage d'un statut à un autre), et conclue par l'incorporation (à son nouveau statut). Le stade de la transition est regardé dans de nombreuses petites sociétés et groupes comme un moment de danger pendant lequel l'individu est considéré « ... comme spécialement vulnérable aux influences surnaturelles... et pouvant, dès ce moment, constituer un danger pour la tribu. »

Ainsi lorsque nous sommes en plein coeur de telles crises, qui ou quoi pourrait nous en sortir ? Les Centres d'interventions en cas de crise sont rares et bien souvent très loin. Certaines villes ont, maintenant, des services téléphoniques d'urgence pour les cas de tentatives de suicide ou pour les cas de drogues. Or la seule existence de ces systèmes impersonnels indique bien que nos structures de support sont anormales. Aller voir un médecin pour un problème, il vous donnera des pillules. La plupart d'entre nous ne croyons pas aux psychothérapeutes ; il y a des conseillers matrimoniaux mais les avocats s'occupant des divorces gagnent beaucoup plus d'argent. L'homme qui espère que son syndicat va régler tous ses problèmes, la mère qui espère rencontrer celui qui épousera sa fille enceinte, celui qui espère que sa famille convaincra son épouse de ne pas demander le divorce sont tous des gens en crise et en rupture de ban avec le passé. Mais le passé n'existe plus. Aujourd'hui, on ne peut guère compter sur l'aide que nous pouvions recevoir de notre communauté, de notre famille, de nos élus, de nos docteurs ou de nos traditions ethniques. Dans les grandes villes, la communauté n'existe pas ; dans les banlieues, les gens vont et viennent comme des oiseaux migrateurs.

Depuis que nous avons établi quelques méthodes institutionnalisées pour nous aider à traverser nos crises, nos amis et nos relations deviennent plus importantes. Ce qui ne nous empêche pas d'avoir des problèmes. Nous sommes la société la plus mobile qui ait jamais existé. Ainsi que Vance Packard l'expliquait si bien dans *A nation of strangers*, l'expression *terroir* pourrait très bien disparaître de notre language en ce siècle-ci. La plupart d'entre nous vivons facilement à plus de 200 kilomètres du lieu de notre naissance. Les Nord-américains déménagent 14 fois dans leur vie, et 1/5 d'entre eux déménage au moins une fois par an, selon les statistiques compilées par M. Packard. Les amis, dans une telle société, deviennent quelque chose d'aussi éphémères que les vêtements. Ainsi est perdu pour nous un autre mécanisme de support.

Cette crise de culture nous prive de nos soutiens traditionnels ; ce qu'elle nous offre à la place est fade. A la place des cérémoniaux et des rites, nous avons l'astrologie, le yoga, les rencontres de groupe. Pendant que ces choses fades peuvent aider, quand même, certaines personnes, dans quelque voie que ce soit, il y a beaucoup d'autres alternatives en face desquelles nous nous trouvons avec une nouvelle forme de crise : *la crise du choix*. Dans les sociétés primitives, les rituels avaient un but très spécifique pour l'ensemble de la société et pour l'individu. Mais comment pourrions-nous juger des buts ou du sens du yoga à l'égard de nos vies, de notre vie individuelle ? Est-ce que cela peut beaucoup plus nous aider qu'une rencontre de groupe ? Est-ce qu'il s'agit réellement de ce dont nous avions besoin dans notre crise individuelle ? Nous savons que nous avons besoin de quelque chose. Mais devant autant de choix, comment prendre ce qui nous conviendrait le mieux ?

Les idées deviennent sans valeur

En faisant n'importe quelle sorte de choix, l'individu a besoin d'informations. Mais trop d'informations mal sélectionnées peuvent avoir aussi peu de valeur que pas d'informations du tout. Les mass media qui nous fournissent un lot énorme d'informations ont un pouvoir d'influence sur nous. Ils constituent un facteur majeur d'indécision à notre égard. Pris dans leur ensemble, les media ainsi que la quantité d'options qu'ils nous offrent, effritent l'habileté des individus à déterminer ce dont ils ont besoin. Aussi cette information que nous prenons au niveau des media est absolument essentielle pour préserver notre liberté et notre habileté à choisir parmi toutes ces options. Nous avons besoin de toutes ces informations que nous pouvons obtenir. Nous aimerions, également, savoir quoi faire avec.

Certains d'entre nous sont sans doute beaucoup plus éclairés à l'égard des problèmes que posent les media quant à l'impact prévisible sur nos enfants. Nous savons qu'au moment où nos enfants atteignent l'âge de 18 ans, ils ont au moins passé 2 ans de leur vie devant la télévision. Ce que nous ne réalisons pas, c'est cet autre aspect de la télévision, aussi significatif pour les adultes dans notre société que pour les enfants. Cet aspect concerne le conflit de valeurs que les programmes présentent. L'impact de ce conflit est d'autant plus exagéré que la télévision est un medium visuel hautement sélectif. La plupart d'entre nous sommes familiers avec les problèmes de la violence à la télévision à l'égard des enfants. Normalement, nous croyons à la non-violence et nous l'enseignons non seulement à nos enfants mais aux autres êtres humains. Concurremment nos enfants voient de nouveaux et vieux films qui glorifient et accentuent la violence et l'agression, le meurtre et la torture ; ce qui est bien le contraire de ce que nous leur enseignons. Par laquelle de ces valeurs nos enfants seront-ils le plus affectés ?

Un autre aspect du conflit de ces valeurs se situe dans notre attitude à l'égard du sexe et du rôle de la famille. Bien qu'il y ait eu des changements sains dans notre société au cours des cinq dernières années à l'égard d'une plus grande égalité entre les hommes et les femmes, les changements n'ont pas été reflétés par les douzaines de films ou de comédies d'époque qui passent continuellement à la télévision. Les enfants qui regardent ces programmes peuvent avoir une mère qui travaille. Ils peuvent comparer cette réalité à ce qu'ils voient à la télévision. Les parents de ces enfants peuvent partager les rôles et les responsabilités à la maison. Mais aux programmes qu'on présente à ces enfants, la place de la femme est généralement à la cuisine. Pour compliquer les choses, l'enfant peut voir, dans une même soirée, un film très conservateur et un autre beaucoup plus contemporain développant une attitude libre à l'égard du rôle des sexes. Ici le problème, pour cet enfant, est de différencier ces deux échelles de valeur et ces deux différentes *réalités* qui lui sont présentées. Ainsi que le disait le père d'un enfant de 10 ans, « Si j'étais mon fils, je crois que je ne saurais plus où j'en suis. »

Depuis que l'enfant est engagé dans le processus qui le conduit à chercher et à savoir qui il est, il évolue également dans un processus qui tente de former ses valeurs. Beaucoup de gens reconnaissent qu'il y a une forte possibilité de confusion dans de telles situations. Et beaucoup de parents déploient certains efforts afin de discuter de ces valeurs avec leurs enfants, de choisir avec soin leurs programmes de télévision. La vulnérabilité de l'enfant est quelques fois fort bien comprise par nous. Mais combien d'entre nous ne réalisent pas complètement que c'est l'adulte qui est en état de crise, et qu'il est aussi vulnérable aux influences de l'extérieur ? La crise elle-même peut être parfaitement normale, prise comme un signe pour l'adulte qu'il est temps d'évoluer vers un autre niveau de développement. Mais depuis qu'il s'interroge et qu'il cherche de nouvelles réponses au sujet de ce qu'il devrait faire de sa vie, l'incroyable variété de *solutions* contraires que les media ̇lui offrent le laissent aussi démuni que lorsqu'il avait dix ans.

L'homme de 45 ans qui découvre qu'il n'est pas, après tout, sécurisé, et qui commence à douter de l'es sence-même de son mariage et de sa carrière, regarde autour de lui. Que trouve-t-il ? Aux nouvelles télévisées du soir, voici un reportage sur une famille qui a abandonné la ville pour aller s'installer dans une commune. Cet après-midi on lui a montré trois couples qui étaient impliqués dans un mariage de groupe. Et s'il abandonne la télévision, les journaux ne valent pas mieux. Le dernier *Playboy* présentait un article sur les merveilles du *biofeedback*, pendant que le magazine auquel sa femme est abonnée offrait un article sur la méditation transcendantale. Et comme certains de ses amis ou de ses relations de travail, il constate que le couple qui vit dans la maison voisine déclare que la thérapie de groupe a sauvé leur mariage, et qu'il doit *absolument* lire un article sur ce groupe publié dans *Readers Digest*. Son associé s'occupe de yoga et son plus vieux camarade fume de la marijuana. Il est normal que notre homme ait tout lieu de ne plus savoir à quel saint se vouer !..

Si cette crise de culture nous pose de nouvelles questions et de nouveaux problèmes tous les jours, elle nous suggère de nouvelles solutions. Mais après un certain temps, les questions, les réponses, les problèmes et les solutions semblent former un seul tout et un seul problème. ◄Si vous n'êtes pas une partie de la solution, vous êtes une partie de problème►, disait un slogan populaire des années 60. De sorte qu'actuellement les supposées solutions sont, définitivement, une composante du problème lui-même ; pas parce que certaines de ces solutions sont nécessairement fausses, mais simplement parce que le choix est plus difficile ; qu'elles semblent contradictoires les unes par rapport aux autres. Le yoga peut être une chose dont vous auriez besoin. Ou la thérapie de groupe. Ou n'importe quelle autre des centaines de solutions proposées. Mais laquelle ? Les media vont tout vous expliquer à leur sujet ; aujourd'hui ils vont prôner celle-ci, demain ils vont prôner telle autre. C'est un vrai jeu de roulette basé sur l'émotion. Et tout en se regardant soi-même, on regarde vers les journaux, implorant d'eux la solution du miracle. Et, comme des maniaques, nous opinons à chacune d'entre elles. Sans compter que nous sommes poussés de manière émotionnelle vers un consumérisme, aussi sûrement que si ces solutions étaient des objets de consommation.

Avec la différence que nous n'avons pas appris à négocier avec cette sorte de consumérisme émotionnel. Nous pouvons infortunément faire la dure expérience de la réalité économique qui nous guide mais avec des valeurs erronées, des éthiques en perpétuelle mutation et des attitudes émotives. Voilà bien des éléments avec lesquels nous n'étions pas habitués à travailler ! Les nouvelles émotions ne sont pas aussi faciles à adopter qu'un nouveau costume : il se peut que nous en essayions plusieurs avant de trouver celui qui nous convient.

Les media sont insatiables lorsqu'ils découvrent une nouvelle idée ; le dernier *gadget* psychologique à la mode devient presque un sujet de discussion nationale. Et nous sommes membres d'une société de consommation, insatiables dans nos désirs de la nouveauté et du jamais-vu. Globalement ces modes ont tendance à distordre autant la valeur des media que celles des consommateurs de ces media afin de distinguer avec soin entre ces idées, qui sont une contribution valable à notre compréhension de l'homme, et celle qui ne servirait à rien et qui ne serait qu'aberrante.

Ce que nous avons à apprendre, a faire, c'est de contrôler les éléments qui nous sont extérieurs ; ainsi que tout ce qui nous entoure. Si nous ne le faisons pas, ce sont les media qui s'occuperont d'en faire de nouvelles normes. Nous ne pouvons certainement pas nous ajuster à une nouvelle norme chaque semaine. C'est pourtant bien ce que les media nous demandent, si nous ne savons pas faire preuve de sélectivité dans notre évaluation de tous ces nouveaux courants. C'est l'antique problème de ne pas mélanger les torchons avec les serviettes au point qu'on ne puisse plus discerner les vérités scientifiques qui pourraient sans doute nous aider.

Est-ce que ça me convient ?

Tout changement est un fait normal, dans toutes les cultures. Dans les sociétés primitives, il se produit très lentement, occupant pour cela plusieurs générations. Si le changement découle d'innovations intérieures en réponse à de nouveaux besoins — la nécessité est la mère des innovations — ou par le biais de contacts avec d'autres cultures, c'est un processus normal de découvertes ou de contacts, suivi par l'absorption ou le rejet. Si l'époque est propice, et que la culture est prête à changer, la société emprunte ou invente ou adapte ce dont elle a besoin, sans grand danger. A d'autres moments, cela peut créer des bouleversements qui peuvent être suivis d'une assimilation ou d'une intégration. Mais le changement soit pacifique ou tumultueux, a besoin de temps pour se stabiliser et se fortifier. Nous, en tant qu'êtres culturels, sommes à un stade où le taux de contacts et le taux d'absorption superficiels sont si rapides que nous allons d'un changement à un autre sans réelle intégration, sans découvrir comment vivre émotionnellement, comme individu, dans l'orbite de ces changements.

Sur notre route, aucun panneau ne nous indique que la vitesse change. Ce qui ne nous empêche pas de rouler à tout allure. Ce seul fait montre qu'il est impératif d'apprendre comment trouver notre propre identité, comment découvrir notre propre vérité et comment les intégrer à nos propres besoins. Et plutôt que de contrôler ces éléments nouveaux par rapport à soi-même, nous les avons contrôlés en fonction de Pierre, Paul, Jean ou Jacques. Plutôt que de contrôler ces éléments en fonction de soi-même, nous avons préféré les contrôler par rapport aux media. Il est important, *pour nous*, de résister à cette vente à pression que les media dirigent *contre nous*.

Pour en être certains, il peut y avoir de nombreux styles de vie, de nombreuses valeurs qui nous conviennent bien et que nous désirions adopter. Nous pouvons avoir l'impression qu'il est temps, plus que temps, de quitter la ville pour aller vivre à la campagne, ou d'adopter une nouvelle attitude sexuelle. Les hommes et les femmes peuvent avoir besoin d'une nouvelle égalité qui donne aux femmes la possibilité de conduire leur propre carrière à un niveau égal à celui de l'homme, bien que cela réclame, de l'homme, une immense coopération. De nombreux parents souhaitent partager l'évolution de leurs enfants plutôt que d'avoir l'impression d'être un père ou une mère à *temps partiel*. Nous pouvons désirer changer de métier : pourquoi ferions-nous le même travail pendant 40 ans ? Mais il faut que nous soyons certains de notre envie de changer et que nous soyons prêts, à l'intérieur de nous-mêmes. Dans ce cas, tout est merveilleux parce que nous voulons changer et, également, que nous sommes prêts à le faire. Nous devons apprendre comment trouver la bonne longueur d'ondes, notre longueur d'ondes et pas celle des autres.

Que fait-on pour moi ?

Si nous devons composer avec notre crise normale d'adulte, nous devons être prêts à trouver les réponses à la question suivante : « Que fait-on pour moi ? » — Question d'importance vitale. Mais les premières personnes à qui la poser, ce sont les jeunes de notre société. Le mot *convenant* a été utilisé à toutes les sauces depuis de très nombreuses années à l'égard de crises survenues dans l'éducation contemporaine, une crise qui reflète la plus large confusion de notre société. Malheureusement, les cris poussés en ce sens par les étudiants ont servi de dadas aux politiciens. Sans rejeter le fait que d'éminents éducateurs ont entièrement admis que l'éducation actuelle ne convenait plus au monde d'aujourd'hui, la politique a déplacé le problème mis en lumière par les étudiants, les éducateurs et le public en général.

Ce vrai problème est que l'éducation a failli dans son rôle d'enseignement, puisqu'elle ne correspond plus aux aléas avec lesquels les étudiants actuels doivent compter. Dans cette ère de changement en forte accélération, les jeunes sont les premiers à être nés dans cette crise de culture. Leurs parents, qui ont maintenant atteint un âge qui les met de plein-pied dans une période plus stable, en termes de valeurs, ont bien essayé de faire face au changement actuel sur la base de valeurs traditionnelles qu'ils avaient apprises lorsqu'ils étaient enfants ou lorsqu'ils étaient de jeunes adultes. Mais les jeunes d'aujourd'hui ont grandi dans un monde en changement ; ils n'ont pas le sens des valeurs traditionnelles de leurs parents. En même temps, ils ne sont pas aveugles : ils voient s'écrouler les valeurs tratidionnelles.

De nombreux étudiants, c'est vrai, ont plus que simplifié le problème, croyant que tout pouvait être réglé par l'écologie, ou en portant beaucoup plus d'attention aux pauvres. Mais les étudiants les plus éclairés explorent déjà d'autres sphères : ils sont à la recherche d'un mode d'éducation qui leur enseignerait comment faire face à cette crise culturelle. Le genre d'éducation que leurs parents avaient reçu pouvait être idéal pour affronter le monde dans lequel ils vivaient jadis ; ils ne mettent pas ces valeurs en doute. Ce qu'ils essaient de dire, c'est que le monde a changé, que l'éducation doit changer. Or, les jeunes nous ont lancé un *S O S* depuis longtemps.

Au cours des cinq dernières années, un grand nombre de personnes plus âgées ont aussi lancé le même cri. On pourrait les appeler par différents noms. Ils ne se reconnaissent pas nécessairement identiques à leurs enfants. Mais ils demandent les mêmes choses. Comment les gens peuvent-ils savoir choisir avec soin dans le lot immense de ces propositions ?

Parce que chaque adulte continue d'évoluer et de changer, cette question peut être posée plusieurs fois dans le cours de sa vie. Et la réponse sera à chaque fois différente : justement parce que l'individu a évolué, a changé. Mais il y a, pour nous, un nombre d'indications qui peuvent nous aider à résoudre les questions posées à n'importe quel moment de ces crises qui jalonnent la vie. Il y a différentes techniques qui peuvent être développées et qui rendent plus aisée la tâche de négocier avec cette crise de culture. La réponse particulière à chaque problème particulier sera, bien entendu, différente. Mais si nous pouvons apprendre à poser la question juste, nous aurons fait la moitié du chemin vers la bonne réponse, vers chacun de nous, vers soi-même. Les réponses peuvent être différentes, mais les questions sont toujours les mêmes.

CHAPITRE III

LA MATURITÉ : UN MYTHE!

Il faut s'assagir

Tandis que notre culture a jeté à la poubelle une tradition après l'autre au cours des dernières années, elle s'est attachée avec ténacité à un concept illusoire que nous appelons le mythe de la maturité. Les promesses qui nous sont faites par le mythe de la maturité peuvent sembler intéressantes, à court terme. Mais, à long terme, elles limitent fortement le potentiel de l'individu dans son évolution et le mettent en difficulté de faire face à cette crise culturelle. Nous avons déjà abordé un des aspects de ce mythe : l'idée que si vous faites le bon choix en tant que jeune adulte, vous serez complètement protégé lorsque vous aurez atteint 30 ans ou 40 ans ; qu'un bon choix sera la garantie, pour vous, d'une vie heureuse. Au cours des premières décennies de la vie de l'adulte, le mythe semble devoir tenir ses promesses. Vous choisissez une carrière, vous vous mariez, vous élevez une famille, vous rencontrez vos obligations hypothécaires : vous vous êtes assagi ainsi que notre société vous l'a demandé et on suppose que vous êtes mature.

« Du calme ! » Ce cliché que nous entendons si souvent est un véritable terrain miné. Nous savons tous, par expérience, que l'adolescence est une période d'instabilité et d'incertitude ; nous ne savons pas qui nous sommes et ce que nous aimerions faire de notre vie. Et nous avons hâte d'atteindre le jour où nous prendrons une part active à l'évolution du monde. La société nous dit par le biais de nos parents et de nos professeurs, que lorsque nous nous serons assagis nous évoluerons. Une personne mature, nous dit-on, est une personne assagie ; et une personne assagie est celle qui planifie sa vie en accord avec ses buts, sa carrière, sa famille, ses acquisitions de biens matériels. Il n'y a rien d'intrinsèquement faux, ainsi que nous l'avons dit auparavant dans ces défis extérieurs, fournis pour que vous n'en fassiez pas les seuls buts de votre vie ou que vous ne les regardiez pas comme les seuls modèles de toute votre existence. Mais ceci, malheureusement, est justement ce que nous faisons tous.

La maturité, avons-nous dit, s'apparente à l'assagissement. Elle définie en termes de buts extérieurs comme en termes de phases naturelles de développement de chaque individu. Ce concept de maturité, socialement imposé, suppose que nous désirerions avoir les mêmes choses, les mêmes besoins durant les 50 prochaines années, sinon les mêmes critères que nous avons eus au cours des dix ou 20 dernières années. Or qu'arrive-t-il ? Si, comme Pierre, le photographe que nous avons déjà rencontré plus tôt, nous découvrons que nous ne sommes pas sécurisés, nous avons l'impression que le monde qui nous entoure a fait faillite. Cette impression s'intensifiera au fur et à mesure des promesses que la maturité ne tiendra pas et qui avaient pourtant été notre crédo essentiel.

Nous ne disons pas que nous deviendrons sécurisés si nous nous assagissons et organisons notre vie autour d'un thème approuvé de buts extérieurs. Voilà bien la première des cinq principales promesses du mythe de la maturité. La seconde promesse est que si nous commençons à nous assagir, nous deviendrons plus stables. Nous ne prendrons pas de décisions impulsivement, mais judicieusement, sur une base de *maturité* ou quelque chose d'autre qui nous aiderait à rejoindre un ou plusieurs de ces buts extérieurs. Malheureusement, dans notre rage de vouloir devenir ce que la société nous dit d'être, nous prenons souvent de bien mauvaises décisions à l'égard d'une carrière comme le mariage. À cette enseigne, un étudiant qui n'a pas fait son choix de carrière après deux ou trois années de collège, est vu par ses parents comme une sorte de *demeuré*. Mais un autre étudiant qui, lui, a pris une décision au sujet de ce qu'il voulait faire pour le reste de sa vie a peut-être pris une décision trop vite et trop impulsivement. Dans cet espoir d'avoir voulu rapidement démontrer qu'il était stable et mature, il a pris une des décisions les plus importantes de sa vie sans avoir suffisamment d'expérience pour le faire. Mais c'est pourtant ce choix qui conditionnera tout le reste de son existence.

La troisième promesse faite par le mythe de la maturité est que si nous nous assagissons par le biais d'une carrière et du mariage, nous atteindrons une sécurité émotionnelle. Selon le mythe, la sécurité émotionnelle dépend, pour une grande part, du mariage et de la famille. C'est tellement vrai, qu'un mariage réussi et des enfants pourront apporter une sécurité émotionnelle à de nombreux individus. Mais le mythe de la maturité ignore le fait que la sécurité émotionnelle dépend également de l'égo des individus ; comment ils peuvent juger leur propre ensemble, en fonction d'eux-mêmes et non pas avec les yeux des autres. Si votre sécurité émotionnelle est basée entièrement sur votre mariage et votre famille, vous courriez à votre perte si votre femme vous quittait ou si vos enfants disparaissaient. Les statistiques de divorces mettent en évidence que le conjoint que vous choisissez à vingt ans peut ne plus vous convenir à trente ans. Beaucoup d'entre nous commettent la même erreur en choisissant un compagnon qu'en choisissant un métier : dans notre rage d'atteindre cette sécurité émotionnelle, nous choisissons trop souvent quelqu'un qui, au fond, ne nous convient pas du tout. Et dans cet esprit d'atteindre notre *maturité* aussi rapidement que possible nous prenons une décision vitale bien avant de savoir ce que nous voulons, bien avant de nous connaître nous-mêmes, et surtout sans savoir de quoi l'avenir sera fait.

La quatrième promesse faite par le mythe de la maturité est que dès que vous aurez atteint un point d'assagissement dans votre vie sexuelle vous serez *sauvé*. Vous n'aurez plus à vous inquiéter de votre vie sexuelle. Vos petites expériences d'adolescent, vos petits rendez-vous de bistrot, voilà bien des choses qui feront partie du passé. Votre conjoint sera là à chaque fois que vous aurez besoin de lui ; mais l'intérêt aura disparu depuis longtemps. Le sexe constituera une part ordinaire de votre vie quotidienne et vous n'aurez plus rien à vous prouver. Quoiqu'il en soit, cette promesse du mythe de la maturité a tendance à réduire la sexualité à un niveau simpliste : celui d'avoir un corps disponible, couché dans votre lit, près de vous. Après tout, les choses les plus simples sont souvent les plus *sécuritaires*. D'un autre côté, la vaste popularité des manuels sexuels et l'émergence de phénomènes tels que les échanges de partenaires, les films pornographiques, démontrent bien qu'une immense partie de la population n'a finalement pas trouvé la sécurité et la satisfaction que le mariage devait leur apporter.

Finalement, le mythe de la maturité nous dit que si nous nous assagissons et si nous organisons notre vie autour des buts les plus courants, le futur sera abordable. Tous ces postulats contribuent à établir le cinquième élément du mythe. Après tout, si vous pensez être bien chez vous dans la quarantaine, être plus stable et moins seul, pouvoir compter sur une sécurité émotionnelle et reconnaître que votre vie sexuelle est simple, alors il n'y a aucun doute : votre futur est abordable. Mais, depuis que les quatre autres promesses du mythe de la maturité sont basées sur de faux principes, la cinquième le sera également. De plus, même si les autres étaient valables, cette cinquième promesse ne tiendrait pas debout à cause de la crise de la culture dans laquelle nous vivons. Dans un monde en changement constant, un concept de maturité basé sur des buts sociaux conformistes devient, lui-même, une contradiction.

La face cachée des promesses

Personne ne croit aux promesses, bien entendu, mais nombreux d'entre nous espèrent quand même qu'elles se réaliseront. Quand, à juste titre ou non, nous cessons de croire en ces promesses, lorsque nous commençons à nous demander : « que vais-je faire du reste de ma vie ? », nous nous plaçons inévitablement en état de crise. Certains interrogent le mythe parce que les évènements ne sont pas conformes à ce que le mythe avait promis. Un homme ou une femme qui décide de divorcer, par exemple, se sent frustré par ces promesses. Certains peuvent se blâmer de n'avoir pas vécu en conformité des édits du mythe ; mais d'autres ont tout lieu de suspecter que le mythe lui-même comportait une part de responsabilité et que les problèmes qui en découlent maintenant dépendent du fait qu'ils ne sont pas partis sur le bon pied avec ce mythe.

D'autres personnes commencent à douter des promesses du mythe parce qu'elles se sont tout de suite démontrées fausses à cause d'évènement extérieurs. Mais aussi parce que ces personnes ont changé. Cette carrière, très exigeante, qui semblait si excitante à vingt ans peut, aujourd'hui, s'avérer être un obstacle à d'autres sortes d'engagements, coupant l'individu de la réalisation de nouveaux projets depuis qu'il a découvert que la vie avait d'autres avantages qu'il ignorait lorsqu'il était jeune. De nombreuses femmes, comme Marie-Claire, *femme d'intérieur* que nous avons découverte dans un chapitre précédent et qui commençait à se poser des questions à son sujet depuis que ses enfants étaient devenus plus indépendants, peuvent penser qu'elles ont perdu les plus belles années de leur vie. Ces gens qui constatent qu'ils ne sont plus les mêmes qu'ils étaient au début, se posent des questions parce qu'ils ont évolué intérieurement. Et comme le mythe de la maturité ne dit rien au sujet de cette croissance, il n'a rien prévu pour y parer. Il est basé, en fait, sur l'idée que la *maturité* est un état qui ne change pas, une condition statique qui peut être simplement adaptée en suivant les règles sociales.

Quand l'individu commence à se questionner sur le mythe, c'est qu'il est lui-même en crise. Avoir vécu en accord avec ce mythe pendant dix, vingt ou trente ans et découvrir qu'il était basé sur un concept faux est une immense expérience. Parce que si le mythe, lui-même, était faux, alors qu'est-ce qui est vrai ? Pas vrai pour tout le monde, puisque maintenant ces gens en sont arrivés à voir que quelque chose qui est *vrai* pour tous n'est pas nécessairement vrai pour chacun ; mais qu'est-ce qui est vrai pour une personne en particulier qui se pose la question. La réponse à cette question peut être trouvée. Vous pouvez trouver ce qui est vrai pour vous. Mais en trouvant cette réponse, elle vous aidera à découvrir que les promesses du mythe de la maturité ne sont pas seulement fausses, mais qu'elles impliquent, aussi, certains postulats ou résultats négatifs. Le tableau suivant montre chacune des cinq promesses de base du mythe de la maturité, et en face d'elles, nous avons inscrit le corrolaire négatif qui s'adapte à chacune de ces promesses. Le mythe présente ces promesses comme positives et bonnes. Ainsi il n'y a aucun doute, *elles ont de l'allure.* D'ailleurs qui n'y croirait pas ? Qui ne souhaite pas avoir une sécurité émotionnelle ? Qui ne souhaite pas devenir plus stable ? Et à part les quelques *Casanovas* qui traînent parmi nous, qui ne souhaite pas avoir une vie sexuelle heureuse ?

LE MYTHE DE LA MATURITÉ

PROMESSES POSITIVES	COROLLAIRES NÉGATIFS
1- Vous serez sécurisé aux alentours de quarante ans.	Il n'y aura pas de nouvelles voies dans votre vie.
2- Vous serez plus stable.	Vous serez moins curieux.
3- Vous aurez une sécurité émotionnelle.	Les changements vous ennuieront.
4- Votre vie sexuelle sera protégée.	Vous n'aurez aucun intérêt sexuel.
5- Votre futur sera assuré.	Aucun défi en vue.

Mais toutes ces promesses, si vous croyez en elles, impliquent donc un corollaire négatif. Si vous acceptez l'idée que vous pouvez être sécurisé, vous devrez aussi accepter l'idée qu'il y aura très peu de nouvelles directions dans votre vie. Si vous acceptez l'idée que vous êtes plus sédentaire et plus stable, vous devrez également accepter l'idée que vous serez moins curieux à l'égard du monde et que votre vie sera casanière. Si vous acceptez l'idée que de suivre les édits du mythe de la maturité vous apportera une sécurité émotionnelle, vous accepterez les changements naturels survenant chez votre conjoint ou chez vous. Si vous acceptez l'idée que votre vie sexuelle est sécuritaire, vous serez peut-être inconsciemment soumis à l'idée que vous n'aurez plus de désir sexuel tandis que vous deviendrez plus vieux, et que la passion est seulement un apanage de la jeunesse. Si vous acceptez l'idée que le futur ne vous apportera pas de réels changements ni de réels défis. Vous devrez donc, en fait, accepter l'idée que *la maturité ressemble un petit peu à la mort.*

Le tas de ferraille de la quarantaine

La maturité, selon le mythe, est une condition, une manière d'être. Elle fait automatiquement un rapport avec la stagnation. Elle met toute son emphase sur le fait d'avoir déjà évolué et laisse peu de place à l'évolution à venir.

À l'en croire, on arrive à la maturité comme une pêche ou une pomme mûrie. « La maturité, c'est tout », disait Shakespeare. Mais ces mots du dramaturge sont la fin d'une phrase qui commençait ainsi: « les hommes doivent supporter l'endroit où ils vont, même si c'est à côté d'ici ». On a compris que Shakespeare parlait de la mort. Le fruit devient trop mur et commence déjà à décliner. Il tombe de l'arbre et se désintègre. La même chose est valable pour une fleur. Elle atteint un summum de sa beauté, une formidable palette de couleurs et de formes, ensuite elle tourne au brun et meurt. Cette analogie est terrible lorsqu'elle s'applique au développement humain ; c'est pourtant cette analogie que le mythe de la maturité implique. Il promet que nous allons évoluer jusqu'au moment où nous déclinerons. Et après quelques années passées à consolider notre position matérielle dans le monde, c'est vrai que nous serons entièrement sécurisés *chez nous* dès lâge de 40 ans. Parce que tel est le sommet, ce sommet vers lequel tous nos efforts nous ont dirigé.

Mais qu'arrive-t-il après ça ? Selon le mythe de la maturité qui place ce sommet à un certain âge chronologique, une seule chose peut arriver: nous déclinerons. Nous pouvons faire un graphique de tout cela et voir à quoi ressemble la vie d'un homme dans ce contexte du mythe de la maturité.

"Sécurité matérielle"

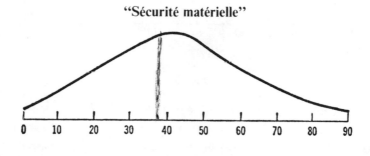

Fig. 1
Courbe générale concernant le mythe de la maturité

La ligne de base de la figure ci-dessus représente les âges chronologiques tandis que la ligne courbe représente le développement de l'individu jusqu'à un sommet, là où il a atteint la sécurité et commence à décliner.

Une personne jeune aura tendance à avoir une courbe légèrement différente de maturité, rendant un peu plus élastique sa ligne de base chronologique à la faveur de sa jeunesse, tel que montré en figure 2.

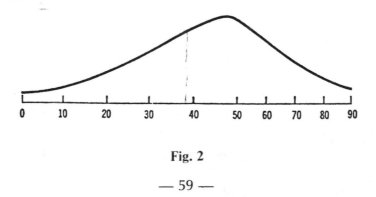

Fig. 2

Chez une personne plus vieille, la distorsion chronologique peut agir en sens opposé.

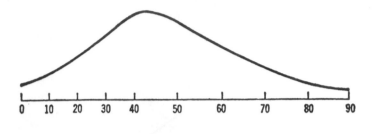

Fig. 3

Que vous arrive-t-il en tant qu'individu lorsque vous croyez que la maturité est une condition statique ? Que se passe-t-il lorsque vous monopolisez toutes vos énergies pour atteindre votre sécurité lorsque vous aurez atteint votre quarantaine ? À l'instant où vous aurez atteint cet âge chronologique, vous constaterez que vous ne pouviez guère faire mieux que ce que vous avez fait. Voilà donc la somme de la maturité. Les récompenses acquises de vos buts extérieurs peuvent être plus importantes. Si vos résultats sont hauts, c'est que vous avez, très certainement, fait votre possible et pouvez être entièrement satisfaits. D'un autre côté, tôt ou tard, vous constaterez que vous avez un autre tentre ou quarante ans de vie devant vous. Si tel est le cas, qu'allez-vous faire de cette vie en reste ? Est-ce que tout votre graphique est en pente à partir de cet instant ? C'est très certainement ce que le mythe de la maturité disait. Quelques personnes acceptent cette implication, malgré ces désappointements, mais se résignent à cette situation. « Bien, c'est la vie, » disent-elles, puisant le réconfort dans ce viel adage. « Asi es la vida ! » disent les espagnols avec un léger haussement d'épaules. Accepter les choses telles qu'elles sont, cela n'est-il pas un signe de maturité ?

D'autres personnes, au contraire, peuvent décider

de lutter contre cette implication qui veut, qu'à partir de cet instant, on va vers le déclin. Il peut y avoir d'autres étapes qui nous conduisent vers une nouvelle comphéhension de la maturité, une maturité créative qui, non seulement permet de continuer d'évoluer, mais dédiée à cette évolution. Et nous allons détailler ces étapes dans les chapitres suivants. Malheureusement, beaucoup de personnes n'arrêtent pas de penser, de réexaminer, de réorganiser leur vie étape par étape ; elles paniquent à l'idée de savoir qu'il n'y a plus de place où aller, à part que de descendre, et de faire face au fait qu'elles ont vécu en parfait accord avec un faux mythe. Alors elles se pressent dans n'importe quelle direction qui semblerait vouloir les conduire à de l'espoir, à de quelconques sauvetages. Une voie dans laquelle, très souvent, les gens s'aventurent dans l'espoir de la découverte, c'est d'avoir une vie extra-conjugale ; le divorce et *une nouvelle vie* avec un autre partenaire peut arriver ensuite. Dans quelques cas, le divorce peut survenir comme une étape sensible et intéressante à franchir après avoir soigneusement étudié les possibilités. Mais il peut être, et de loin, plus fructueux de construire cette nouvelle vie avec le même partenaire. Mais refaire une nouvelle vie avec le même partenaire exige d'apprendre comment évoluer encore, activement : ce qui peut prendre beaucoup de temps. Ceux qui sont à la recherche de remèdes temporaires n'ont pas le temps de prendre leur temps. Au lieu d'apprendre à évoluer, au lieu d'essayer de découvrir une nouvelle maturité créatrice pour eux-mêmes, ils ne font que modifier les circonstances extérieures. Tout cela peut quand même les aider pendant quelque temps, mais les laissera très certainement face à un problème identique : une vue assez fausse de la maturité et un énorme potentiel nécessaire pour évoluer à travers le cycle de la vie humaine.

La situation est certainement beaucoup plus ennuyeuse pour ceux qui n'ont pas atteint, avec succès, les buts extérieurs qu'ils s'étaient fixés selon le mythe de la maturité. Découvrant qu'il n'y a pas d'avenues nouvelles à explorer, ils cessent tout simplement d'essayer. Si vous ne l'aviez pas fait pendant quarante ans, après tout, il n'y a aucune raison que vous commenciez à le faire maintenant ! Nombreux sont ceux qui acceptent la défaite, se balançant tranquillement dans leur chaise devant leur appareil de télévision et abandonnant tout combat pour le reste de leur vie. "

La tendance à la résignation est encouragée par de fausses idées concernant ce qu'il advient de notre physique, de notre vie mentale, de notre vitalité sexuelle à partir de la quarantaine. Notre société nous a conditionnés à croire que l'inertie physique était naturelle et inévitable avec l'âge et la maturité. Des exercices physiques de quelque sorte que ce soit ont acquis une certaine popularité au cours des récentes années ; nous ne nous y adonnons pas tous pour les mêmes raisons mais, quoiqu'il en soit, nous allons quand même dans la bonne direction. Le fait est que, selon des recherches récentes, les exercices physiques peuvent améliorer nos capacités mentales. Des docteurs ont maintenant découvert que de nombreuses capacités diminuées l'avaient simplement été par un manque d'exercice entraînant un déclin biologique ; et que ces capacités, comme celles de notre cerveau, pouvaient appréciablement être modifiées par des moyens extérieurs tout au long de notre vie. Quelque soit le nombre de neurones — cellules du cerveau — chaque personne en reçoit un certain lot à sa naissance. Le nombre de certaines autres cellules dans le cerveau augmente avec l'âge et continue d'augmenter avec l'expérience que nous acquerrons. La stimulation, l'activité et l'augmentation de la circulation sanguine peut aider votre cerveau à mieux fonctionner. En d'autres mots, si vous croyez que votre cerveau est trop vieux, qu'il est trop lent pour vous apprendre quelque chose de nouveau, ou vous permettre de vous engager dans une nouvelle carrière, vous êtes dans l'erreur. Un vieux chien peut encore découvrir de nouveaux trucs, s'il est disposé à faire l'effort de les apprendre. Identiquement, nous sommes nombreux à accepter, consciemment ou inconsciemment, l'idée que notre désir sexuel et nos capacités diminuent ; corollaire négatif du mythe de la maturité, ce n'est rien de plus qu'une prophétie que nous faisons. Depuis que nous le croyons, il est devenu vrai. Et si, par hasard, cela n'arrive pas, nous sentons que quelque chose n'a pas fonctionné : comme s'il était immoral d'avoir des impulsions sexuelles après quarante ans. Dans un récent article du *New York Times Magazine* concernant la réaction des femmes d'ouvriers à l'égard de la libération des femmes, une dame expliquait ce qui lui était arrivé, dans sa vie sexuelle, depuis qu'elle avait trouvé un emploi. Après quelques mois de travail, son mari décida que, parce que sa femme rapportait de l'argent à la maison, il pourrait lui-même travailler un peu moins comme chauffeur de taxi. Ainsi, pour la première fois en de nombreuses années, elle et son mari ont commencé à avoir des relations sexuelles de façon régulière. Ceci était partiellement dû au fait que son mari n'était pas surchargé de travail et avait plus de temps libre. Mais voici un autre aspect de cette question : la femme rapporta les mots suivants de son mari : « tu sais Rose, nous avons grandi et vieilli dans l'ignorance comme s'il fallait nous priver pour élever nos quatre enfants. Il est *faux* celui qui disait qu'une femme pensait que son mari était un vieux salaud s'il essayait de l'entraîner au lit après la cinquantaine ».

Masters and Johnson ont en effet conclu que dans des conditions physiques et émotionnelles favorables, les capacités sexuelles peuvent fréquemment se poursuivre jusqu'à l'âge de 80 ans. Il est temps pour nous de comprendre que la vie sexuelle ne diminue pas avec l'âge mais peut, en fait, devenir meilleure. Avec l'âge, l'activité sexuelle, aussi loin que la fréquence est concernée, ne peut pas être ce qu'elle était à 30 ans. Mais il est clair que nos capacités sexuelles augmentent avec l'expérience, et sont étroitement liées à nos sentiments à l'égard des autres comme à l'égard de soi-même.

Les idées fausses qui circulent au sujet de la vitalité physique, mentale et sexuelle chez les personnes âgées ne sont pas seulement destructives en elles-mêmes. Elles contribuent à renforcer ce mythe que la maturité est une condition qui, à un moment donné, ne permet plus d'évoluer. Rien ne peut plus davantage détruire l'esprit humain et psychique que cette idée qui veut qu'il n'y ait plus de but, que le processus d'évolution et de vie soit même arrivé à son déclin. Il est clair qu'il est difficile de revivre une aventure identique à celles que vous auriez pu vivre lorsque vous aviez 30 ans. Après tout, on vous avait dit qu'être aventureux était d'être immature. Aussi vous êtes-vous assagi comme par vengeance, freinant votre créativité et la rendant conforme aux idées du mythe. Vous pouvez très bien l'accepter, vous le dire, et continuer à vous embourber dans ces idées. « Il est trop tard pour essayer quelque chose de nouveau à notre âge », c'est ainsi que vous vous reléguez vous-même sur le tas de ferraille de la quarantaine. Et ça, trop souvent, c'est l'ultime résultat de la croyance au mythe de la maturité.

Maturité ouverte

« Savez-vous ce qui ne va pas réellement avec la plupart des gens d'un certain âge ? », nous a dit un jeune avocat, c'est qu'ils pensent qu'ils ont un âge moyen, que tout leur avenir est derrière eux, qu'ils ne font plus partie du courant de la vie. » Roger nous a dit : « Pour moi, faire partie du courant, c'est évoluer, et cela n'arrête jamais. Pour moi l'âge moyen c'est 65 ans et plus ! »

Vous pouvez penser, selon votre propre expérience, que ce jeune homme est très optimiste. Il est sur la bonne voie, il a su contourner avec succès le mythe de la maturité. Sinon, en temps normal, ce détour conduit inévitablement à la mort. Dès l'instant que vous l'avez accepté − des millions de jeunes gens le font − votre vie vous conduit inévitablement au pessimisme à l'égard de votre potentiel d'évolution tout au cours de votre vie. Mais un mythe est un mythe. Et il est faux ! Les promesses du mythe de la maturité sont contraires à la réalité. Ainsi, émergent les corollaires négatifs que les promesses impliquent. Si vous croyez que vous serez un homme sécurisé à 40 ans, vous êtes en train de vous créer une belle crise.

Dans son livre, *Le Sens de Soi-même*, Louise Stringer dit : « Le but central et inchangeable de la maturité est de définir sa propre course, de choisir sa propre direction. » Nous nous opposons à elle pour dire que la maturité elle-même n'est pas un but mais un processus dans la poursuite de la découverte de la croissance. Les crises nous arrivent à tous, et à n'importe quel moment, même si elles sont normales. Ces crises qui *s'allument* en nous sont le signal d'une nouvelle étape de développement : et elles *s'allument* sous la poussée de circonstances extérieures. Mais la personne qui est capable de leur faire face avec succès est également capable de faire preuve de créativité. La première action de la vie, c'est la croissance. Et lorsque cette croissance est déroutée, les choses, inévitablement, vont mal. Nous commençons à nous détruire ou à succomber au désespoir. Nous mourons tandis que nous sommes encore en vie.

Une femme de 42 ans que nous avons interrogée nous a dit ceci : « Si vous définissez la maturité comme un état de plein développement, comme un sommet que vous atteignez et duquel vous tombez ensuite, alors je prie le ciel de ne jamais être mature. La maturité, pour moi, c'est d'apprendre comment développer et user de mes capacités. Dieu sait que j'en ai beaucoup, qu'elles changent, qu'elles continueront à changer. La maturité, pour moi, c'est un processus, le processus qui me permet de devenir de plus en plus moi-même et d'évoluer continuellement. »

Si nous prenons ce qui est une réalité pour un nombre en augmentation de gens, au lieu du mythe comme barème de maturité, nous pouvons changer la courbe de notre graphique de maturité de la façon suivante :

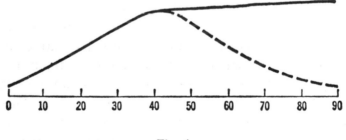

Fig. 4

Au lieu de suivre la ligne pointillée, la maturité, pour nous, peut atteindre un plateau sur lequel nous trouvons une évolution constante. Ou alors, il se peut que si nous apprenons à *changer de vitesse*, et si nous regardons devant nous, vers les changements psychologiques, nous arrivons à un moment où l'évolution est continuelle dans diverses dimensions et atteint, même, un plateau de plus en plus élevé ainsi que nous le montre la figure 5.

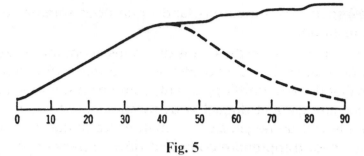

Fig. 5

Projection pour une évolution constante de la maturité

La maturité ce n'est pas le début de la fin. Elle peut ouvrir la voie à des aspirations nouvelles et préparer à la vie. Il faut apprendre comment vivre de façon ouverte avec soi-même, ouverte à l'égard de la vie, ouverte à l'égard des autres, et ouverte à de nouvelles expériences. Nous devons tourner le dos à des promesses illusoires du mythe de la maturité. Nous devons établir une stratégie de vie basée sur nos besoins réels pour continuer à évoluer, ainsi qu'une compréhension de nos besoins qui changeront au cours du cycle de notre vie.

Si vous êtes jeune et que vous commencez à prendre des décisions concernant votre âge adulte, alors, vous pouvez commencer à établir cette stratégie de vie. Elle vous apportera les éléments de croissance et vous permettra de changer sans être distrait par de fausses promesses ou par de l'imagerie. Si, d'un autre côté, vous êtes plus vieux, vous pouvez utiliser les expériences que vous avez déjà acquises et vous en servir à développer une stratégie de vie qui viendra au secours de vos illusions et qui vous aidera à évoluer dans de nouvelles dimensions. Comme il n'est jamais trop tard, ou trop tôt, apprenez à *changer de vitesse*.

CHAPITRE IV

CHANGER DE VITESSE !

Les phases psychiques de la vie d'adulte

De tout ce qui vit sur la terre, l'homme est le seul à avoir ce don de diviser le temps entre les deux points biologiques marqués par sa naissance et par sa mort. Nous seuls, également, avons cette habilité de décider, non seulement de ce que nous allons faire de notre vie, mais de pouvoir changer d'attitude à l'égard de ce que nous allons faire de cette vie. Cette qualité est, bien sur, affectée par les circonstances dans lesquelles nous nous trouvons. Nous ne pouvons guère ignorer les effets que le monde extérieur a sur nous. Mais nous ne pouvons laisser à ce monde extérieur le droit de s'imposer à nous et de violer nos besoins internes.

Le mythe de la maturité nous dit que nous devons régler notre vie en accord avec les éléments extérieurs ; que le point principal de notre vie d'adulte est de nous définir en terme de société, au travers d'une carrière, du mariage et de l'accumulation de biens. Certainement, ceci est un aspect de notre vie d'adulte ; nous avons tous besoin de trouver *notre niche* dans cette société, de joindre la tribu, ainsi que le disait le Dr. Daniel Levinson, de l'Université de Yale. La raison principale invoquée avec force par le mythe de la maturité est, en fait, qu'il s'érige en fonction d'éléments découlant de ce monde extérieur. Mais chacun de nous a aussi un monde intérieur qui a une profonde importance dans nos espoirs de réussite. Et ce monde intérieur n'est pas un monde statique dans lequel nous vivrons toujours : il change constamment, généralement de façon subtile, mais quelque fois dramatiquement. Dans le cours de sa vie, chaque individu passe au travers d'une variété de phases psychiques.

L'existence de ces phases psychiques a été depuis très longtemps reconnue – plus de 2000 ans – par les religions et les philosophies extrême-orientales ; ces phases psychiques ont été reconnues comme étant une part normale de notre vie d'adulte. Mais notre culture ne nous prépare pas à cette expérience normale de la vie. Dans notre société, seuls les besoins psychiques de nous définir, nous-mêmes, en termes établis par ce monde extérieur, sont reconnus. Mais en fait, il y a deux autres besoins psychiques primaires qui ont une égale importance dans l'accomplissement de chaque individu.

Premièrement, c'est le besoin d'auto-exploration. À différents moments de sa vie, chacun de nous découvrira le besoin de développer ce monde secret qu'il porte en lui. Ce besoin a déjà été décrit par Richard Tate qui a consacré 30 ans de sa vie à *s'engloutir dans une carrière à très haute pression*. Récemment, il a abandonné cet emploi fort bien payé qu'il occupait auprès d'une firme de Chicago pour devenir éditeur d'un hebdomadaire d'une petite ville de l'Illinois. Il déclare que s'il avait, dans son ancien emploi, d'énormes responsabilités avec plus de 20 personnes travaillant sous ses ordres, il avait toujours éprouvé l'impression d'être anonyme. « N'importe qui, avec un peu de jugeotte, aurait fait ce que j'ai fait. J'étais très bien payé mais j'avais l'impression d'être la 5e roue de la charette. » Sa nouvelle vie, par contre, lui donne un sentiment totalement différent : « Ce petit journal, c'est moi-même ! mais ce qui est beaucoup plus important aujourd'hui, c'est que j'ai le temps de lire, de me pencher sur moi-même, de découvrir quelle sorte de gens sont ma femme et mes enfants. Ils étaient pratiquement devenus des étrangers pour moi. »

Par ailleurs, nous avons rencontré une femme, diplômée des Beaux Arts, qui a passé les 20 dernières années de sa vie comme femme et comme mère. Lorsque son plus jeune fils a atteint la vingtaine, elle a commencé à se lancer, comme *pigiste*, en décoration intérieure. Les premiers contrats qu'elle a eus elle les a obtenus par le biais d'amis et de relations. Mais, depuis 2 ans, elle a pris de l'expansion et dirige un bureau et plusieurs employés. Dans son cas, les moyens de s'explorer et de s'étendre étaient d'abord d'utiliser les capacités qu'elle avait négligées durant la première phase de sa vie d'adulte et de prendre un essor dans cette carrière qu'elle avait reléguée aux oubliettes. Ces raisons qui l'ont poussée à joindre cette course de rats ont été les mêmes que celles qui avaient poussé Richard à l'abandonner. Cette femme-là a voulu explorer ses capacités et les mettre à l'épreuve dans une nouvelle voie afin de mieux se réaliser. Il n'y a pas qu'une seule voie pour s'explorer, ni qu'un moyen d'aboutir à cette extension de soi-même : tout dépend de ce que vous faisiez auparavant, de vos capacités, mais, surtout de celles qui avaient été négligées. Richard, appelé à s'explorer, à *changé de vitesse* et rétrogradé ; tandis que cette femme, elle, a décidé d'aller plus vite. Le moyen par lequel ce changement de vitesse s'est accompli est donc différent pour l'un comme pour l'autre. Mais les buts étaient les mêmes, ils étaient inspirés par le même besoin : explorer un autre aspect de soi-même.

Beaucoup de gens, à un moment donné de leur vie, pensent que le meilleur stade de réalisation d'eux-mêmes serait d'aborder quelque chose de plus grand, de plus large. Ceci est donc le 2e des besoins psychiques que nous avons ignorés dans notre société. Un anciel colonel de l'armée que nous avons interrogé disait ceci : « J'ai passé 20 ans dans l'armée. Je suis allé en France durant la seconde guerre mondiale et j'ai servi comme commandant aux quartiers généraux, en Corée. Mon travail ne me demandait guère d'être romantique et je ne pense pas être plus patriote que n'importe qui. Ce que je faisais, le métier l'exigeait. À l'époque, je pensais qu'il était important que je fasse bien ce que j'avais à faire. Puis j'ai atteint un point à partir duquel j'ai senti que j'avais besoin de faire quelque chose de différent. J'avais envie de faire quelque chose de constructif, pour changer. En quittant l'armée j'ai eu quelques belles offres d'emploi mais aucune d'entre elles ne m'a intéressé. » Ce colonel a donc quitté l'armée. Il est retourné à l'Université où il a étudié en Histoire. C'est ainsi qu'il enseigne depuis 10 ans, à des jeunes gens, dans un collège. « La plupart de ces jeunes sont vraiment intéressants, dit-il. Ils veulent apprendre. Ce que je fais est réellement excitant et me donne quelque chose de plus grand à faire que seulement gagner ma vie et ne penser qu'à ça. Je me sens beaucoup plus en paix avec moi-même et j'ai l'impression d'être bien dans ma peau. »

Pour nous définir aux termes de la société dans laquelle nous vivons, pour explorer nos capacités intérieures particulières ; pour élargir nos horizons, il faut comprendre que ces trois besoins psychiques séparés sont toujours présents en chacun de nous simultanément mais à des degrés variables. Au cours de différentes phases de notre expérience d'adulte, nous pouvons trouver que l'un ou l'autre de ces trois besoins prédomine et devient le facteur psychique central. Celui des trois qui prédominera durant un certain nombre d'années données n'est pas déterminé par l'âge, mais par des beoins individuels, l'expérience, l'habileté et notre capacité de croître. Ainsi, s'il y eu beaucoup de volontaires du *Peace Corps* qui avaient 20 ans, il y en eut également beaucoup qui avaient 30 ans, 40 ans et on a a même vu de 60 ans ; le besoin qu'ils avaient d'être impliqués dans quelque chose de plus grand qu'eux-mêmes — comme de vivre au contact de jeunes — était l'expression de cette phase psychique dans laquelle ils étaient et non pas celle de leur âge ou d'un conformisme à des règles spéciales.

Ainsi, beaucoup de gens, peut-être la plupart, ne réussissent pas à se mettre au diapason de ces changements de leur phase psychique ; ils invoquent les schémas de leur vie et pensent qu'ils doivent être déterminés par l'âge ou par leur rang social. Notre société, en fonction du mythe de la maturité, nous dit que nous serons regardés comme des bêtes étranges si nous ne nous marions pas, si nous ne choisissons pas une carrière avant 25 ans. Si vous voulez avoir du succès et être heureux, on vous conditionne à ressembler très vite à vos parents. « Décide-toi ! disons-nous sans cesse à nos enfants. Si tu veux être traité comme un homme, alors deviens-le ! » Or notre culture ignore l'existence de tout autre phase d'évolution.

L'ignorance de toutes les autres phases psychiques ne peut que conduire à une crise psychologique à long terme. Plutôt, des crises de longues durées. Vous agissez contre vos instincts et essayez de vous conformer aux *normes* de la société. Vous risquez fort de vous retrouver marié à n'importe qui par conformisme, et d'occuper un emploi qui ne vous apportera rien. De loin, vous donnerez l'impression d'avoir évolué mais, face à vous-même, face à votre conscience, vous serez seul à savoir l'étendue de votre souffrance et à quel point votre psychisme et votre vie sont désynchronisés. De là découlera la perte de vos illusions à l'égard de votre carrière ou de votre mariage, ou bien des deux à la fois. Mais ce qui est pire, vous court-circuiterez votre développement psychique naturel et rendrez beaucoup plus difficile votre évolution.

Des années en suspens

Pour la majeure partie des gens, dans notre société, la phase d'auto-définition coïncide avec la première ou la deuxième décade de la vie d'adulte. C'est, nous l'avons déjà noté, une des raisons fondamentales qui a étayé le mythe de la maturité : en apparence, le mythe semble être parfaitement en accord avec la réalité de notre phase psychique. Dans cette situation l'ignorance de nos autres phases psychiques peut paraître sans importance. Après tout, si le genre de vie de Jean est synchronisé avec celui de quelqu'un d'autre, il peut avoir l'impression d'être heureux. Le seul problème est que Jean pense qu'il n'y a guère d'autres solutions ; de toute manière, il n'est pas préparé à quelque changement que ce soit.

Nous sommes nombreux, à un moment ou à un autre de ces premières décades de notre vie d'adulte à dire : « j'espère que j'aurai le temps de... » Nous espérons que nous aurons le temps de peindre, ou le temps de cultiver des roses, ou le temps de lire, ou simplement le temps d'observer le monde qui nous entoure. Depuis le temps que nous faisons, ou que nous entendons de telles choses, elles finissent par sembler superficielles et réellement sans importance. Pourtant, ces jérémiades sont le reflet du potentiel personnel que nous étouffons ; et celui d'autres besoins psychiques que nous attachons. Si Jean se concentre exclusivement sur le monde extérieur, mettant de côté certains aspects de sa personnalité qui ne peuvent correspondre à l'essence de ses buts immédiats, il passera les deux premières décades de sa vie d'adulte comme si ces années-là étaient en suspens.

Ces aspects de sa personnalité qu'il néglige émergeront comme d'ardents besoins, à un moment donné, dans le futur. Lorsqu'il se trouvera dans une nouvelle phase psychique. Nous pouvons illustrer ce qui arrive par un simple exemple mécanique. Supposons que vous alliez vivre en Europe pendant deux ans et que vous ne souhaitiez pas amener votre automobile avec vous. Si vous la laissez dans un garage pendant ce temps-là, elle rouillera et s'encrassera. Et lorsque vous reviendrez, vous aurez à faire face à une belle facture de réparation. Mais si vous êtes intelligent, vous vous arrangerez avec un ami afin qu'il se serve de temps à autre de cette voiture et qu'il la fasse rouler. Le problème est identique avec nos potentiels inemployés. Il n'est pas nécessaire de leur accorder une immense attention, mais il faut quand même les entretenir... au cas où nous en aurions besoin un jour.

Si vous dites : « j'espère que j'aurai le temps... » alors prenez le temps ; ce n'est pas grand chose, mais celà vous aidera. Ainsi, plus tard, lorsque vous entrerez dans une nouvelle phase de votre évolution, il sera aisé de *changer de vitesse* : vous aurez une meilleure idée de vos différents potentiels et de leur importance par rapport à vous. Moins vous vous occuperez de vous, de façon intérieure, actuellement, plus il vous sera difficile de changer de vitesse au moment d'aborder une autre phase. Lorsque nous négligeons complètement tous ces aspects de nous-même qui, pour le moment, ne correspondent pas à nos ambitions immédiates, lorsque nous les laissons en suspens années après année, nous sommes simplement en train de mettre au point une bonne crise psychologique dans le futur.

Changer de vitesse d'une phase psychique à une autre n'est pas quelque chose qui devrait vous refroidir mais, au contraire, vous remplir d'espoir. C'est non seulement une part normale de votre vie, mais cette certitude que nous sommes un être unique parmi toutes les créatures vivantes : la capacité d'affuter vie comme on affute un couteau et de pouvoir changer d'attitude est un profond régénérateur. Cela semble terrible parce que notre culture ne nous a pas préparés à le faire et parce que nous consacrons les premières années de notre vie d'adulte à suspendre le reste de nos années. Pour quelqu'un qui a pris à pleines mains toutes les promesses du mythe de la maturité et qui a négligé tous les aspects de sa personnalité afin de les mettre en conformité avec le mythe, la transition d'une phase à une autre a de quoi faire peur. Divorcer, changer de métier ou perdre son emploi devraient être des crises face auxquelles nous devrions être prêts. Bien sûr que c'est ennuyeux ! Qui accepte de tels problèmes avec le sourire ? Penser que nous avons perdu quelque chose, découvrir que nous sommes placés en état de fragilité... alors qu'on a peut être gagné quelque chose : c'est ça une crise qui nous laisse déconfit comme si c'était le plus grand naufrage de sa vie.

C'est donc à cette étape-là que la compréhension du processus de *changement de vitesse* devient essentiel. Le besoin de *changer de vitesse* peut, aussi, être imposé par des évènements extérieurs. Dans notre crise de culture, cette habileté à *changer de vitesse* devient doublement importante : des entreprises naissent, une usine ferme ses portes, un contrat important est annulé et, subitement, notre vie est altérée de façon drastique. Peu d'entre nous peuvent s'imaginer que notre emploi pourrait tomber en désuétude au bout de vingt ans, que notre maison pourrait être rasée pour faire place à un immeuble de 50 étages. Pourtant de telles choses arrivent tous les jours. Si nous pouvons comprendre comment fonctionne le processus de *changement de vitesse*, nous serions en avance sur les autres joueurs. Que ce besoin de *changer de vitesse* soit voulu par un changement naturel de notre phase psychique ou nous soit imposé par des mouvements extérieurs, le processus est le même.

Le processus du "changement de vitesse"

Le processus du *changement de vitesse* peut se placer à deux niveaux différents. Dans un premier cas, c'est une réponse à une sorte de crise qui remet en question nos certitudes, ces acquis intérieurs ou extérieurs donnés. La transition d'une phase de notre vie d'adulte à une autre peut présenter quelque crises : le mariage, la naissance d'un enfant, un divorce, un changement d'emploi, ou la mort d'une personne chère. Mais dans d'autres cas, le *changement de vitesse* ne nous oblige pas à adopter tout un nouveau dictionnaire d'idées mais, simplement, à remettre ces idées dans un sens qui soit plus logique, pour le moment. C'est la différence qui existe entre déménager d'une maison à une autre ou simplement redécorer celle dans laquelle nous vivons.

Dans le premier cas le changement peut se faire sans que nous soyons obligés d'y porter une grande attention consciente. Un bon exemple, c'est lorsque nous nous faisons un nouvel ami. Nous avons rencontré quelqu'un, nous l'aimons bien, nous sommes intéressés à le connaître. Cette amitié nous obligera indubitablement à évoluer et à changer subtilement certains de nos points de vue. Mais le processus, dans ce cas, est graduel. C'est une lente absorbtion des concepts de notre nouvel ami par nos modèles, nos étalons, nos schémas d'existence. D'un autre côté, si nous devenons amoureux de quelqu'un et que nous sommes disposés à nous marier avec, ou à avoir avec cette personne une relation sentimentale de longue durée, le processus de *changement de vitesse* peut ne pas être aussi aisé. Il peut donner lieu à une crise qui peut-être résolue en changeant, simplement, quelques unes de nos conceptions.

Pour rendre ce processus absolument clair, nous voudrions détailler davantage ces étapes. Voici donc un petite histoire vécue :

Récemment, nous sommes allés dans une petite auberge familiale dans les montagnes. Nous y avons rencontré Tom, un homme dans la quarantaine et apparemment très heureux. Lorsque nous l'avons vu pour la première fois, il était derrière le bar et nous avons vite compris que cette fonction ne représentait qu'une des facettes de ses multiples activités. Il nous a expliqué comment lui et sa femme, belle femme blonde qui a pris part à notre conversation, se sont retrouvés dans cet auberge.

« Cinq ou six ans auparavant, dit-il, j'étais enterré dans mon travail, à New York. Je dirigeais une entreprise de construction depuis quinze ans et j'ai bien aimé ça jusqu'à un certain moment. Nous étions venus ici rendre visite à des amis pour une fin de semaine. C'était un style de vie totalement différent, un endroit agréable, des gens chaleureux. Cela m'a donné à réfléchir au sujet de ma propre situation dès que je suis revenu en ville. Quelque chose s'était déclenché en moi et je commençais à me poser des questions. Les affaires allaient bien, nous avions un bel appartement en ville, tout ce que nous pouvions espérer, du moins nous le semblait-il. Néanmoins, je commençais à avoir un brin de sentiment d'insatisfaction, de pression. »

« J'ai commencé à regarder les choses de plus près ; j'ai réalisé que, en fait, je n'avais pas travaillé pour moi-même. J'ai toujours été aux prises avec les gens et avec le temps. Les demandes étaient énormes et je n'avais plus temps à me consacrer n'y à consacrer à ma femme. J'ai commencé à me demander combien d'énergie j'avais pu dépenser pour gagner un dollar. J'en suis arrivé à la conclusion qu'il m'en coûtait un dollar et vinct-cinq cents d'énergie pour chaque dollar que j'avais gagné. J'étais donc en situation de dette en terme de vie et, aussitôt, j'ai décidé de faire quelque chose. Nous aimons tous gagner de l'argent, mais s'il nous en coûte plus cher pour en gagner, ce n'est guère intéressant. J'en ai parlé à Johanne et nous avons commencé à chercher une maison, quelque part dans ce coin ci. »

Tom et Johanne ont trouvé la maison qu'ils voulaient. Elle coûtait peut être une petit peu plus cher que ce qu'ils espéraient dépenser, mais Johanne déclara qu'elle souhaitait retourner travailler comme coiffeuse afin d'aider le ménage pendant cette transition. « Alors nous avons acheté cette maison et nous avons déménagé. En attendant, j'ai continué à travailler à New York. Pendant tout ce temps là j'étais à la recherche de quelqu'un qui pourrait acheter mon affaire et je réflichissais au moyen de m'installer complètement ici. J'ai pensé pouvoir continuer dans le bâtiment ici et, finalement, c'est ce que j'ai fait. Enfin, deux années plus tard j'ai réussi à vendre ma compagnie et à déménager de New York. Johanne m'a donné un sérieux coup de main et graduellement, j'ai pu avoir assez de travail pour assumer la majeure partie de mes responsabilités. »

« Enfin, à peu près six mois plus tard, j'ai rencontré Charles, qui était propriétaire d'une auberge. Nous ommes devenus de bons amis. Un jour il a demandé à Johanne et à moi si nous voulions le remplacer pendant un week-end ayant envie de faire un voyage. Nous avons accepté. Bien que dure, l'expérience nous a plu. Je m'en suis pas mal sorti à faire des cocktails ; j'ai bien aimé entendre les clients raconter leurs histoires. Quand Charles est revenu il m'a demandé si je voulais devenir son associé. Johanne et moi, nous nous sommes occupés du bar, nous avons aidé à la cuisine, pendant que Charles s'occupait de l'administration. Maintenant, Charles et moi, nous construisons des maisons. Nous ne gagnons pas beaucoup d'argent mais nous pouvons voyager pendant l'hiver et nous avons beaucoup de temps à nous. Il y a des enfants dans les deux familles et ils s'entendent très bien. » Après une petite pause, Tom ajoute : « je suis très heureux d'avoir complètement changé de direction mais, surtout, heureux de m'être réveillé au bon moment. »

L'histoire de Tom est un bon exemple de tout le processus de *changement de vitesse*. La première étape dans ce processus est la prise de conscience. Pour Tom comme pour la plupart d'entre nous, cette prise de conscience se développe graduellement. Beaucoup d'entre nous peuvent ressentir ce vague mécontentement dont Tom nous entretenais tout à l'heure. Or nous avons tendance à refouler ce sentiment pour éviter de reconnaître ses implications. Lorsque nos postulats principaux sont mis au défi, notre première impulsion est de placer notre train psychologique sur une voix circulaire aussi rapidement que possible, comme si nous voulions repousser cette attaque de nos intuitions. Cette attitude est particulièrement forte si nous avons placé toute notre foi dans le mythe de la maturité : beaucoup sortent victorieux de cet effort qu'ils font en repoussant les sentiments qui les assaillent. Mais, dans cette guerre, ils tuent leur potentiel de croissance. A long terme, ils seront attaqués encore et succomberont finalement sous les coups.

Dans le cas de Tom, cette prise de conscience trouve ses origines dans ce voyage qu'il fît et dans le sentiment qu'il éprouva à l'égard des gens qui étaient de loin, beaucoup plus heureux que lui. Ils avaient beaucoup plus de temps à consacrer à leurs enfants, à leur famille, à leurs amis. Le signe le plus évident que cette prise de conscience n'a pas été vaine est qu'il s'est posé des questions. Puis cet examen de conscience conduit au deuxième state de ce processus : l'évaluation. Tom a commencé à se demander quelle somme d'énergie il dépensait pour gagner un dollar. Il a considéré le peu de temps qu'il avait à consacrer à sa famille, il a étudié le genre de vie que ses enfants pouvaient mener dans une grande ville. Il a également commencé à se poser des questions sur les relations qu'il entretenait avec son entourage, avec ses amis qui, à toute fin utile, n'étaient que des amis issus de son travail. « Le monde du travail commençait réellement à me submerger, nous a-t-il dit, et j'ai réalisé que je n'aimais pas ça et que je voulais y mettre fin. »

Dans le cours de cette évaluation, certaines personnes ont tendance à assumer tous les blâmes pour l'impasse dans laquelle elles sont trouvées. Les regrets et les récréminations, autant contre soi-même que contre les autres, sont très souvent soulignés par cette expression : « Ha ! si seulement j'avais su, ou pu !... » Dans un tel cas, il est important de réaliser que rien n'est perdu. Ce sentiment de naufrage est particulier au gens qui sont en instance de divorce, ou qui ont consacré de nombreuses années à se préparer à une carrière pour laquelle ils n'étaient pas nécessairement faits. Ce sentiment affecte également ceux qui n'ont jamais trouvé le sens réel qu'ils auraient aimé donner à leur vie.

L'idée d'avoir perdu de nombreuses années de notre vie est généralement, une idée fausse. Il ne faut pas oublier que, pendant ces années que vous avez supposément perdues, vous avez acquis de l'expérience, de la compréhension, autant de vous-même que du monde environnant. Sans cette expérience et sans cette compréhension, il est certainement possible que vous ne seriez pas arrivé au point où vous en êtes, ce point de prise de conscience que vous venez d'atteindre. Si vous ne pouvez pas changer le passé, vous pouvez changer le futur. Perdre du temps et de l'énergie à vous lamenter sur le passé, ça c'est une perte de temps à l'égard du futur! Allez de l'avant, vers ce troisième stade qui est celui de l'exploration.

Tom nous a expliqué que, tout en explorant l'ensemble de ses possibilités, il a considéré un certain nombre d'alternatives. Parmi celles-ci, il y avait la possibilité d'abandonner son métier d'entrepreneur et d'embrasser un autre genre de travail. Son père avait été professeur de physique dans un collège et Tom avait pensé retourner à l'université et devenir, lui-même, professeur. Finalement, il décida qu'il aimait son travail d'entrepreneur : la seule chose qu'il n'aimait plus, c'était le genre de situation de ce domaine. Il n'avait pas donc à changer de métier mais à changer de vie.

En explorant les alternatives qui s'offrent à vous, les buts à court terme doivent être opposés aux buts à long terme. Tom voulait sortir du cercle infernal du monde des affaires dans lequel il était, et sortir également de sa ville. Ça, c'était un premier but. Ce qu'il voulait, à long terme, c'était un nouveau genre de vie pour sa famille et pour lui-même.

Les étapes de l'évaluation et de l'exploration sont toutes deux vouées, dans une large part, à définir les priorités de notre vie. Et pour définir ces priorités, il faut faire la part de tout ce qui essentiel, de ce qui l'est moins, et de ce qui ne l'est pas du tout. Ce qui peut vous paraître essentiel à un point de votre vie peut le paraître moins ou absolument pas à un autre moment, au cours d'une autre phase psychique. Mais ce qui est essentiel, c'est la manière avec laquelle vous vous déciderez.

Le moyen le plus simple de trouver une réponse à cette question est d'établir une liste écrite des activités et des points d'intérêt qui réclament de votre temps au cours d'une semaine ou d'un mois donné, et d'y ajouter les alternatives, les options que vous aimeriez explorer. Le temps que vous consacrez ou que vous aimeriez consacrer à chacun de ces éléments de votre vie peut être inscrit dans la marge. Ne vous inquiétez-pas : il se pourrait fort que le total du temps que vous obtiendrez comme résultat soit de loin supérieur au nombre d'heures qu'il y a dans une semaine ou dans un mois. Commencez donc par revoir cette liste et établissez-vous un budget en terme d'heures. Mettez en haut de cette liste les choses auxquelles vous aimeriez consacrer beaucoup de temps, et ainsi de suite par ordre décroissant. Il se peut qu'il vous faille plusieurs jours pour jongler avec cette liste ; vous trouverez que vous changez souvent d'idée mais, c'est seulement lorsque vos idées et vos priorités seront stabilisées que vous pourrez regarder cette liste comme à peu près définitive — à ce moment-là de votre vie.

Ce moyen de déterminer vos priorités dérive des techniques d'administration industrielle appliquées par des conseillers tels que Allan Lakein. Elles servent également à programmer des ordinateurs. On ne vous demande pas de devenir plus efficace, mais seulement de déterminer les éléments qui, dans votre vie, sont majeurs. Établir une telle liste vous rendra certainement plus conscient de vos préférences et de vos désirs. Faire une telle liste, c'est découvrir quelles activités ou quels centres d'intérêt sont les moins essentiels et peuvent éventuellement être abandonnés.

On peut modifier cette technique en utilisant celle que Tom a appliquée : découvrir quelle somme d'énergie vitale vous avez pu dépenser pour gagner chaque dollar. Tom avait découvert qu'il dépensait un dollar vingt-cinq d'énergie pour chaque dollar gagné. Il avait donc décidé qu'il était en *faillite*. Il a alors décidé qu'il voulait, non seulement gagner moins d'argent, mais avoir plus d'énergie vitale à réinvestir dans d'autres secteurs de sa vie, dans ses relations avec sa famille, dans son propre épanouissement. Ayant pris cette décision, il était prêt à aborder une autre étape du processus.

Pour Tom, le pas suivant, a été l'expérimentation. Sa femme et lui ont trouvé une maison dans la région qu'ils aimaient. Ils l'ont achetée et sont déménagés. Quoiqu'il en soit, Tom a conservé leur appartement à New York pendant un certain temps — pendant deux ans — il a voyagé. Il ne voulait pas lâcher la proie pour l'ombre. Cela lui a donné, ainsi qu'à sa famille, une occasion d'essayer ce nouveau *costume*. Allait-il lui aller comme il l'avait souhaité ? Est-ce que les enfants aimeraient autant la campagne que la ville ? Lui serait-il possible de lancer une entreprise de construction ? Pendant cette période de transition, Tom a eu la possibilité d'établir des contacts avec cette nouvelle communauté, ainsi qu'avec quelques personnes capables de le mettre au courant des problèmes pouvant intéresser un entrepreneur. Dès qu'il a été entièrement satisfait, le déménagement final a pu se faire avec de raisonnables chances de succès et Tom a pu s'implanter dans cette nouvelle région. Désormais, il était prêt à franchir l'étape suivante : la prise de décision. Il décida de vendre son entreprise à New York et de vivre et de travailler de façon permanente dans sa nouvelle région. Cette décision entraînait d'autres étapes : partir. Il ne faut pas oublier que Tom abandonnait une entreprise qu'il dirigeait depuis quinze ans ; du jour au lendemain, il se coupait des revenus de cette entreprise. La famille, dans son ensemble, abandonnait, elle-aussi, l'appartement qui a été leur nid pendant de nombreuses années, dans lequel les enfants avaient vécu depuis leur enfance ; pour une large part, ils abandonnaient aussi leurs amis. Désormais, ils devraient oublier certaines choses et certaines activités, quitte à y gagner, en terme de réalisations futures. Tom avait franchi cette dernière étape. En fait, il avait complètement *changé de vitesse*.

Le processus de *changement de vitesse* est composé d'une série d'étapes reliées les unes aux autres. Tout le monde ne franchira pas ces étapes dans le même ordre que Tom. Son diagramme est peut-être celui qui est le plus commun, mais cela ne signifie pas qu'il est le seul, non plus le meilleur pour chacun d'entre nous. Par exemple, Hélène, une veuve dans la quarantaine, a suivi un tracé différent, uniquement basé sur ses besoins. Lorsque son mari est mort d'une crise cardiaque, elle s'est trouvée seule et désemparée. Elle a pris conscience qu'un grand vide s'installait dans sa vie. Elle a réalisé que, désormais, elle allait devoir se construire une nouvelle vie. Après un examen de conscience, elle a décidé qu'elle devait d'abord complètement rompre avec des Associations ou des activités qui avaient été les siennes pendant son mariage. Elle appela chacun de ses vieux amis, un par un. Elle leur dit qu'il était possible qu'ils n'entendent plus parler d'elle pendant un certain temps, sans qu'elle sache pendant combien de temps. Elle aimait beaucoup ces gens ; il avaient été une grande part de sa vie. Mais elle pensait que, si elle voulait se créer une vie nouvelle, il était nécessaire de *devenir complètement elle-même*, de se replier sur ses propres besoins. Dans son cas, elle commença par l'étape par laquelle Tom avait terminé. Pendant au moins un an elle ne revit aucun de ses anciens amis : tant et aussi longtemps qu'elle n'eût pas terminé ce processus de *changement de vitesse* — le temps de se trouver un emploi, de se faire un certain nombre de nouveaux amis, d'avoir atteint un certain nombre de ses buts immédiats. Le cas d'Hélène est probablement une exception mais elle a pu, ensuite,

retourner vers ses anciens amis, enrichie, pleine de confiance en elle.

Tom et Hélène illustrent bien la manière avec
laquelle nous pouvons utiliser ce processus de
changement de vitesse dès que nous avons pris la
décision de changer de vie. Mais il y a encore un autre
moyen de changer de vitesse : utiliser les évènements de
chaque jour ainsi que nos relations personnelles dans le
cadre d'une évolution intérieure. Parce que nous rencontrons des changements plus souvent que nous prenons
de grandes décisions telles celles de Tom ou d'Hélène, il
est très important de savoir comment *changer de vitesse*
en fonction de ces évènements. Malheureusement,
beaucoup d'entre nous réagissent aux changements qui
interviennent dans nos relations personnelles de tous les
jours en adoptant une attitude assez rigide. Nous
résistons et restons sur nos gardes avec un esprit assez
fermé. Le résultat est que, beaucoup d'entre nous restent
accrochés *en première vitesse...* et pendant très
longtemps, tandis que d'autres passent une grande partie
de leur vie au point mort, refusant de changer et
bloquant les avenues de potentiels propres à évoluer et à
s'épanouir. Ainsi, si nous sommes disposés à être ouverts
et à faire l'effort de *changer de vitesse*, nous avons l'opportunité quotidienne de voir la vie sous un angle
nouveau. Et d'adopter de nouvelles attitudes. C'est dans
cet affrontement quotidien avec les changements que
nous pouvons découvrir nos sources les plus fécondes
d'épanouissement.

Le meilleur exemple se trouve dans notre famille
où se confondent deux générations, parents et enfants.
Prenons un cas particulier entre un père et son fils. Le
père découvre que son fils fume de la marijuana. Le père
ne cède pas, prohibe cette drogue totalement, *monte* sur
ses grands chevaux et se sert de son autorité. Et tant qu'à

y être, il rejette son fils. Le fils, de son côté, trouve que son père boit trop et que l'alcool est plus débilitant et destructif que la marijuana. Une bataille s'ensuit, le père traitant son fils de drogué. Les voici en combat singulier qui peut être autant physique que verbal, aucun des deux n'étant capable de voir la situation clairement.

Ce qui est arrivé dans l'esprit du fils est très clair : son goût de fumer de la marijuana est soutenu par le problème d'alcoolisme du père. Au fond, ni l'un ni l'autre n'a les mains propres. Autant le père que le fils invoquent de légitimes raisons couvrant la santé de l'autre mais leurs émotions les aveuglent et les coupent de toute compréhension constructive.

Cette confrontation est destructive puisque ni l'un ni l'autre ne changera de position : le fils bat en retraite en colère et le père, furieux et désespéré, ne vaut certainement pas mieux. Son intérêt à l'égard de ce que fait son fils est sans doute réel mais il se bloque en négociant avec lui à cause de cette impossibilité de faire face à son propre problème. Dans ce cas le père a changé de vitesse en sens contraire, perdant du terrain et anesthésiant son évolution. Même si le père n'avait pas de problème d'alcoolisme, cette question de marijuana pourrait devenir une occasion de confrontation. Quoiqu'il en soit, ce père particulier n'est pas différent de la plupart des parents qui s'arrachent les cheveux depuis que leurs enfants font quelque chose de nouveau, qui est étrange et incompréhensible pour eux comme avoir les cheveux longs ou porter des habits sales, adopter des attitudes sexuelles différentes, faire l'école buissonnière ou prendre des décisions personnelles. Il y a quelque chose dans le propre passé des parents qu'ils n'ont jamais résolu et qui les barre de la compréhension des dynamiques en jeu.

L'occasion n'a pas besoin des changements contemporains que nous voyons dans l'attitude de nos enfants. Elle n'a guère plus besoin d'un but aussi *incendiaire* que la toxicomanie. N'importe quel développement chez les enfants met en exergue l'insécurité des parents et leur sentiment d'être dépassés. De la même façon, la maturation et le développement normaux de leur identité sexuelle est, pour les parents, une zone de conflits. Dans ce cas, les parents, ainsi que le Dr E. James Anthoni le dit : « peuvent réagir à l'insatisfaction qu'ils ont de leur propre vie sexuelle en enviant ce que les jeunes obtiennent aujourd'hui, alors qu'eux mêmes en sont privés. » Chaque confrontation que nous avons avec nos enfants devrait nous forcer à faire face à des réalités contemporaines. Chaque confrontation peut devenir l'occasion, pour tous les parents comme pour tous les enfants, de s'épanouir.

Nous pourrions utiliser ces *aventures* de manière positive pour *changer de vitesse* en faisant face à nos problèmes et en améliorant nos relations les plus intimes. Reprenons le cas du père et de son fils : dans cette sorte de confrontation personnelle, tous les stades du *changement de vitesse* pourraient être appliqués. Tant pour le père que pour le fils, qui ont lourdement conscience de leur différence, de leurs attitudes réciproques. Si les deux étaient ouverts, ils pourraient explorer les raisons pour lesquelles ils fument de la marijuana ou boivent. Ils pourraient écouter l'évaluation du problème de l'autre : ou alors le père pourrait expliquer à son fils les problèmes généraux particuliers au fait de boire ; le fils pourrait expliquer à son père les problèmes généraux particuliers à fumer de la drogue. Chacun pourrait explorer les raisons, les valeurs, les doutes, les désirs et les motivations de l'autre. Ainsi ils ouvriraient des voies nouvelles à leurs relations et à leur compréhension du fait de boire ou de fumer en général, de nouvelles possibilités de se comprendre eux-mêmes, et ils découvriraient de nouveaux moyens d'action. Ils pourraient les expérimenter, essayer de développer de nouvelles attitudes tout en évaluant ce qu'ils font et pourquoi ils le font. Ensuite, ils pourraient prendre une décision et passer à l'action. Cette décision et cette action ne seraient rien d'autre que le maintien, entre eux, des lignes de communication ouvertes par lesquelles ils pourraient continuer à se parler, à échanger leurs idées et leurs sentiments. S'ils faisaient cet effort, chacun des deux aurait *changé de vitesse* en même temps que découvert un nouveau point de vue à leurs problèmes mutuels. Cela ne peut guère donner lieu à des réponses neutres, ou a des solutions faciles — mais ce peut être un grand pas qu'ils feraient en avant dans leur vie commune et dans leurs relations. "Prendre la décision de discuter ouvertement avec autrui est un apport à toutes relations." Il n'y a pas de solutions faciles au problème des relations humaines. Mais ce qu'on y gagne peut compenser largement pour les difficultés et les impasses dans lesquelles ce processus peut nous conduire. *Changer de vitesse* pour atteindre un niveau de compréhension plus grand ne peut qu'être une réaffirmation de soi-même dans son jeu de relations humaines.

C'est dans ce sens que nos relations personnelles nous offrent des possibilités de changement, un approfondissement de notre compréhension d'autrui, un renforcement de notre compétence et de notre foi en la vie et en celle des autres.

La manière de « changer de vitesse »

Prise de conscience, évaluation, exploration, expérimentation, décision, action, et remise en route, tels sont les principales étapes du processus de *changement de vitesse*. Mais, tout comme ces étapes peuvent être abordées dans un ordre différent par différentes personnes, elles comportent, chacune pour elle, une flexibilité qui lui est propre. Pour certains, par exemple, l'histoire de Tom peut sembler trop belle pour être vraie, ou notre suggestion à propos du père et du fils peut sembler trop difficile. Un tel changement semble-t-il impossible à réaliser pour la plupart d'entre nous ? Ou est-il irréaliste ? Comment être sûr que vous pourrez en tirer parti ? Évidemment, la réponse c'est qu'on ne peut être certain de pouvoir en profiter *la première fois*, non plus que d'être convaincu de la perfection et de la facilité de cette méthode à un moment donné. L'importance de procéder par étape, de prendre le temps qu'il faut, c'est que vous avez ainsi l'occasion de faire marche arrière au besoin et d'adopter une attitude différente. L'ordre dans lequel vous agissez importe peu, mais il est important de s'attaquer à un élément à la fois.

Il est possible qu'à un certain moment la nouvelle direction dans laquelle vous vous engagez puisse ne pas porter fruit. Il se peut que votre plan soit fondé sur de fausses prémisses, sur des présomptions plutôt que sur des faits soigneusement étudiés, ou sur des buts ou attentes irréalistes, qui dépassent vos capacités ou vous posent un défi insuffisant. En ce cas, le moment est venu de recommencer au tout début du processus, de tenir compte de ses limites et de réévaluer, explorer et expérimenter un nouveau plan d'action éventuel.

La seule évaluation du processus qui ne peut être faite à un point différent par des personnes différentes est la prise de conscience. De toute évidence, c'est la première étape, le catalyseur fondamental qui met en branle tout le processus. C'est également une étape difficile. La plupart d'entre nous le savons quand nous sommes malheureux, mais peut-être ne connaissons-nous pas la cause de notre malheur. Vous savez que quelque chose ne va pas, vous n'êtes pas satisfait de votre vie ni épanoui : votre travail vous ennuie, votre mari semble ne jamais changer, vous savez que vous avez relevé tous les défis de votre emploi actuel, vous avez perdu intérêt dans votre femme, vous vous chamaillez sans arrêt avec les enfants, de l'aube au coucher du soleil. Soudain, vos aliments préférés ont perdu tout leur goût, vous n'avez aucun enthousiasme pour vos activités habituelles de loisir, la sexualité ne vous attire pas plus qu'un reste de purée de pommes de terre de la veille. Et ce manque de vitalité, cette absence de goût de vivre peut être suivi d'anxiété, de crainte et de rage, face à votre incapacité de réagir.

C'est alors que, pour la plupart d'entre nous, la raison prend le dessus et que nous adoptons une attitude de défense psychologique. Nous blâmons notre patron ou notre conjoint pour notre malheur et notre insatisfaction ; nous blâmons la société, la politique, la religion, nous blâmons tout ce qu'on peut trouver, y compris la pollution de l'air. Ainsi, en transportant sur nos épaules toute une quirielle de lamentations contre tout et tout le monde, on se sent si lourd qu'on n'arrive plus à faire un pas. Pour compliquer la situation, on se dit qu'il n'y a rien à faire pour résoudre le problème. On trouve des millions d'excuses pour ne pas faire le premier pas qui provoquerait un changement. On se dit qu'on ne peut rien changer parce que le mari, la femme ou les enfants ne seraient pas d'accord. Nous voulons un meilleur emploi en nous disant qu'on ne peut pas prendre de congé pour en chercher un, qu'un autre patron serait sans doute tout aussi désagréable, que nous sommes trop vieux. Aujourd'hui, les jeunes se disent : comment puis-je contribuer à quoi que ce soit dans ce monde pourri où personne ne se soucie des autres, dans cette société corrompue ? Pourquoi essayer, quand tout est perdu d'avance.

Aussi longtemps que nous nous laisserons guider par des raisons et des excuses semblables, nous ne pourrons prendre conscience de ce qui constitue la première étape d'un changement d'attitude. Parfois, lorsque nous constatons que la situation dans laquelle nous vivons est tout à fait intolérable, nous agissons, mais il s'agit d'une action fondée sur des raisons plutôt que sur la prise de conscience qui mène à un changement d'attitude. L'exemple classique est celui de l'homme qui se sent insatisfait de son travail et de sa femme et qui, pour se renouveler, se tourne vers une série d'aventures amoureuses. Il se sentira peut-être en fait un homme neuf pendant un certain temps, mais il s'est appuyé uniquement sur un changement extérieur plutôt qu'un changement intérieur, un épanouissement.

Ce n'est qu'après avoir atteint le niveau de la prise de conscience, où nous reconnaissons qu'un changement interne et peut-être externe est nécessaire à la solution de nos problèmes, que s'amorce le processus du changement d'attitude. La modification de notre attitude extérieure ne mène nulle part. Pour réussir, elle doit s'intégrer à notre épanouissement intérieur. Ainsi, la prise de conscience qui nous mène à modifier nos attitudes englobe quatre éléments : (1) reconnaître que nous sommes malheureux dans la situation actuelle, (2) faire le bilan des facteurs externes qui nous font éprouver cette sensation de malheur ; (3) faire face à nos craintes du changement et (4) examiner nos propres défenses et raisonnements.

En faisant le bilan de la répercussion des facteurs extérieurs sur notre situation, il faut se rappeler les effets de la culture de crise dans laquelle nous vivons. Face à notre crainte du changement, il faut à la fois examiner les effets du mythe de la maturité, et l'existence de phases biologiques chez l'adulte. Ceci nous aidera à poser nos questions dans une bonne perspective. Dans les chapitres suivants, nous étudierons de plus près un certain nombre de techniques et de méthodes qui peuvent nous aider à prendre conscience de nos propres moyens de défense et de nos raisonnements, des moyens qui nous permettront de nous épanouir. Tout d'abord, il faut reconnaître que la plupart des individus modifieront leur comportement, non pas une seule fois, mais de nombreuses fois au cours de leur vie adulte. Considérons ce que cela signifie en terme de planification de l'avenir.

Une stratégie de vie

Vous pouvez apprendre à modifier vos attitudes, à tout âge, à n'importe quel moment de votre vie. Lorsque vous avez compris le processus, vous pouvez l'appliquer à maintes reprises, tout au long de votre existence. Les circonstances qui nécessitent un changement d'attitude sont nombreuses et évolueront constamment mais, le processus reste le même. À partir d'une compréhension du processus, vous pourrez élaborer votre propre stratégie de vie.

Une stratégie de vie *n'est pas* un plan de vie. On a beaucoup parlé des plans de vie depuis quelques années : des plans de dix ans, de cinq ans et même d'un an. De toute évidence, si vous parlez d'un an, vous ne parlez pas d'un plan de vie. Les buts précis sont essentiels au bien-être psychologique d'un individu ; sans eux, nous nous débattons dans une espèce de limbe. Pour atteindre nos buts, il faut planifier. L'essentiel, c'est qu'au cours de nos vies d'adultes, nous ayons divers buts. Ceux-ci changeront selon la phase psychique dans laquelle nous nous trouvons et selon l'effet qu'a sur nos vies, la culture de crise. Si nous mettons tous nos oeufs dans le même panier et que nous planifions toute notre vie autour d'un seul objectif ou d'une série d'objectifs, nous finirons par avoir des ennuis.

Le mythe de la maturité offre ce qui est en principe un plan de vie. Optez pour cette route, vous dit-on, et vous arriverez finalement à destination (à l'épanouissement) sans encombre. Mais la vie n'est pas faite ainsi. Pour progresser, pour s'adapter aux besoins changeants du moi, il faut une attitude plus souple. Vous adopterez une certaine voie pendant un certain temps, bien sûr, mais il faut vous préparer à suivre le besoin qui résulte de votre curiosité naturelle, à bifurquer sur une voie secondaire qui semble intéressante, quand vous êtes fatigué de rouler sur l'autoroute. Se fatiguer de l'autoroute équivaut à la première étape du processus de changement d'attitude : vous êtes conscient que la voie que vous suivez n'est plus tout à fait satisfaisante. L'étape de l'expérimentation ressemble à la bifurcation sur une route secondaire pour voir où elle vous mènera. Souvent, ces routes finissent par mener à une autre autoroute plus belle, où les paysages sont plus intéressants et les horizons nouveaux. Il vous faudra sans doute, à ce moment-là, une carte ou un plan tout nouveau qui vous tracera la marche à suivre pour atteindre votre nouvel objectif.

Il nous faut des plans qui nous aideront à atteindre nos objectifs. Mais étant donné que ces objectifs changent au cours de notre vie adulte, il en va de même de nos plans ; à l'occasion, on peut avoir recours au même plan pour atteindre un même objectif, après l'avoir modifié quelque peu, mais la plupart du temps il faudra le changer. C'est pourquoi il est important d'avoir une stratégie de vie qui incorpore le *facteur changement*, nous donne une vue d'ensemble qui englobe de nombreux objectifs et les divers plans qui nous permettront de les atteindre. Un plan a des buts précis. Il est donc statique. Une stratégie peut englober plusieurs objectifs. Elle est donc dynamique. Le tableau ci-après nous indique certaines différences entre un plan de vie et une stratégie de vie :

PLAN DE VIE STATIQUE (Mythe de la maturité)	STRATÉGIE DE VIE DYNAMIQUE (Changement d'attitude)
suivre	mener
extérieur	attitude intérieure
stagnation	épanouissement
perte du moi	découverte du moi
anxiété	défi

Un plan de vie statique, comme celui que nous dicte le mythe de la maturité, insiste pour que nous suivions les règles établies par d'autres, conformément aux exigences externes de la société ; une stratégie de vie dynamique nous permet de diriger nos vies conformément à nos besoins psychiques intérieurs. Un plan de vie statique crée une situation où la stagnation et la perte du moi devient inévitable ; une stratégie de vie dynamique nous permet de nous développer constamment, ce qui nous mène vers la découverte du moi. Un plan de vie statique signifie que le changement, soit dans le monde extérieur ou à l'intérieur de nous-même, provoquera chez-nous de l'anxiété ; une stratégie de vie dynamique nous permet d'accepter le défi engendré par le changement, afin de bien nous épanouir en tant qu'individu.

Voyons la question sous un autre angle. Le Docteur Carl Edwards de l'Université Harvard a délimité trois types d'interaction sociale d'adaptation, trois moyens fondamentaux par lesquels l'individu peut traiter avec les autres et le monde qui l'entoure. Le premier type est celui de la *coopération*. Il s'agit d'être réceptif et de comprendre les besoins des autres. Les conflits sont résolus par le sacrifice personnel. L'individu coopérateur a tendance à renoncer à ses propres besoins et à ses désirs quand il se produit un conflit ; il se sacrifie. Le deuxième type est l'*instrument*. L'individu fait face aux situations en les structurant, en se fiant à l'autorité, à la similitude d'intérêts et au respect des traditions. Le troisième type est l'*analyse*. L'individu répond aux gens et aux situations en cherchant à comprendre les éléments sous-jacents et en explorant les plans d'actions éventuels, en plus des gestes habituels ou prévus.

De toute évidence, il y a des moments où il est nécessaire de faire appel à chacune de ces attitudes. Le sacrifice personnel est parfois la meilleure solution. Parfois, c'est la réponse traditionnelle qui sera la meilleure. Mais en élaborant une stratégie de vie, le troisième type de réponse prend une signification bien particulière. Lorsque vous modifiez votre attitude, il faut oublier le sacrifice et la conformité pour l'instant en essayant de découvrir par l'analyse quel nouveau mode de comportement et d'interaction vous permettra de vous réaliser et de vous épanouir. Ainsi, la force d'une stratégie de vie réside dans le fait qu'elle reconnaît la nécessité de modifier une attitude. Elle ne peut se fonder avec succès sur le sacrifice ou la conformité.

Imaginons que nous sommes en présence de quatre amis de collège, Robert et Suzanne, Janine et Paul. Robert et Suzanne se marient après la collation des grades. Robert a accepté le mythe de la maturité comme parole d'évangile. Il croit qu'il peut faire son chemin dans une grande entreprise et réussir avant quarante-cinq ans. En principe, il a accepté une optique conformiste de la vie. Suzanne avait songé à devenir médecin mais abandonna l'idée pour épouser Robert ; pour sa part, elle a adopté une optique fondamentale de sacrifice dans laquelle elle se définit surtout en fonction de Robert et de leurs futurs enfants. Quinze ans plus tard, Robert en a assez de son travail qui ne lui permet que de passer quelques heures par semaine avec sa famille. Il est dans les hypothèques par-dessus la tête et ne voit aucun moyen de s'en sortir. Son plan de vie fondé sur le mythe de la maturité n'a pas réussi, mais il ne voit pas comment modifier ce dernier. En même temps, Suzanne, qui a été beaucoup influencée par le mouvement de libération de la femme, en arrive à la conclusion que Robert est un mâle chauvin et qu'elle a gaspillé vingt ans de sa vie.

Janine et Paul se sont aussi mariés après leurs études. Mais ils ont abordé leur avenir ensemble d'un point de vue bien différent. Janine savait exactement ce qu'elle voulait faire à court terme : devenir avocat. Si elle ne réussissait pas à devenir avocat tout en étant la femme de Paul, elle ne se marierait pas. Paul, par contre, n'était pas certain de ce qu'il voulait faire dans la vie. La photographie, la littérature et le théâtre l'intéressaient. Puisque c'est dans la photo qu'il avait le plus d'expérience car il en faisait pour le journal du collège et à la pige depuis quelques années, il réussit à décrocher un emploi de photographe dans la ville où Janine suivait ses cours de droit. Pendant ses études, il la faisait vivre. Ils n'avaient pas beaucoup d'argent mais s'en sont tirés. Après avoir réussi les examens du Barreau et travaillé comme avocat pendant un an, ce fut au tour de Paul de quitter son emploi de photographe. Il passa un an à écrire un roman, publié avec un certain succès. On lui offrit ensuite d'écrire un scénario. À deux, ils avaient suffisamment d'argent pour que Janine prenne le congé nécessaire à la naissance d'un enfant. Ni l'un ni l'autre n'était tout à fait certain de ce que lui réservait l'avenir. Janine commençait à s'intéresser à la politique et songeait à se présenter à un poste, tandis que Paul estimait que la production de films lui permettrait peut-être de mieux utiliser ses talents variés.

La différence entre ces deux couples n'en est pas une de compétence. Robert avait toujours de meilleures notes que Paul, et Suzanne aurait pu devenir aussi bon médecin que Janine est devenue avocat. La différence en était une d'attitudes face à la vie. Robert et Suzanne s'étaient tracé un plan de vie basé sur le mythe de la maturité, la conformité et le renoncement. Quant à Janine et Paul, leur stratégie était d'accepter les choses telles qu'elles étaient et de voir ce qui, à court terme, leur convenait le mieux, tout en conservant l'option de changer d'idée et de style de vie au besoin. Le plan de vie que s'étaient tracé Robert et Suzanne ne comportait aucune option, contrairement à celui de Janine et Paul. Cela ne veut pas dire, bien sûr, qu'il est mauvais de travailler pour une entreprise ni d'avoir des enfants lorsqu'on est dans la vingtaine. C'est peut-être ce qui vous convient à vous. La seule chose qu'il ne faut pas faire, c'est de présumer que vous ne souhaiterez jamais rien d'autre. La différence entre un plan de vie statique et une stratégie de vie dynamique ne réside pas dans ce que vous faites à un moment donné, mais dans la façon dont vous voyez ce que vous faites. Si vous estimez que c'est la seule voie qui vous permettra de vous épanouir il s'agit d'un plan de vie et non pas d'une stratégie. Si vous estimez que le seul moyen d'épanouissement pour vous est de devenir interprète de théâtre ou peintre, et que vous agissez uniquement en fonction de ce but, vous aurez vraisemblablement autant de difficultés que la personne qui estime que le seul moyen de réussir dans la vie est de travailler pour une grande société.

Il n'y a pas qu'une seule voie, et cela, pour personne. Nous changeons, le monde qui nous entoure change. Il nous faut des buts bien précis, d'accord, mais nous devons aussi pouvoir changer d'avis sur la définition de ces buts. Pour Janine et Paul, le premier objectif était le diplôme en droit de Janine ; l'objectif suivant était le parachèvement du roman de Paul. En atteignant ces deux buts, ils ont changé d'attitude, jouant chacun un rôle différent à un moment donné. Et leur optique de vie leur a permis ce changement et leur en permettra d'autres plus tard. Leur stratégie de vie a tenu compte des besoins de changement, leur a fourni la souplesse voulue pour s'adapter aux changements intérieurs et extérieurs. Si Janine n'avait pas obtenu son diplôme ou si Paul n'avait jamais publié son roman, ils auraient pu s'engager dans une nouvelle voie. Modifier son attitude consiste à choisir un changement ; une véritable stratégie de vie est une ouverture d'esprit qui nous permet d'opter pour un choix.

Vous seul pouvez décider de changer. Vous seul pouvez concevoir une stratégie de vie qui vous permet de faire ce choix. Le reste de ce livre traite des connaissances et des aptitudes que chacun peut développer pour élaborer sa stratégie de vie, des facultés qui vous aideront à reconnaître vos besoins et des points de transition entre une phase psychique et une autre ; il vous explique comment modifier vos attitudes conformément à votre schème de pensée personnel.

DEUXIÈME PARTIE

Repères pour une stratégie de vie.

CHAPITRE CINQ

SACHEZ TIRER PROFIT DES CRISES

Autopsie des crises

Chaque crise fournit l'occasion d'une renaissance, d'une réorientation en tant qu'individu ; elle nous permet d'opter pour le changement qui nous aidera à nous épanouir. Le potentiel qu'engendre chaque crise est d'ailleurs exprimé merveilleusement en chinois. Le caractère d'écriture qui représente le mot crise en chinois, est composé de deux symboles égaux : un qui signifie danger, et l'autre occasion. Nous savons tous qu'une crise comporte un danger, car elle nous présente des situations radicalement différentes de celles que nous connaissons généralement. Mais trop souvent nous oublions que dans la crise existe également la possibilité de changer et de se développer. L'insécurité, l'angoisse et la douleur face au danger et à l'inconnu, pourra nous remplir d'une vitalité et nous redonner courage, nous revigorer.

Mais, pour traverser une crise et en sortir renforci, renouvelé, nous devons comprendre de quelle façon on peut tirer parti de cette crise et nous devons éviter de tomber dans le piège des mythes et des faussetés qui nous retiennent et nous empêchent d'apprendre et d'aller de l'avant. Quand on se concentre surtout sur le danger que présente la crise, plutôt que sur son potentiel de croissance, il est beaucoup plus difficile de la traiter, car la crainte et le désespoir prennent le pas sur l'occasion de s'épanouir. Nous connaissons peut-être trop bien l'inconnu et la confusion (que nous interprétons comme étant un danger) mais nous devons également reconnaître les possibilités de croissance.

Au Chapitre Deux nous avons parlé de la crise surtout en termes négatifs et avons démontré comment la culture de crise, dans laquelle nous vivons affecte la capacité de l'individu à faire face aux crises normales du passage à la vie adulte. Lorsque l'ensemble d'une société se trouve en crise, nous faisons face à ce que l'on pourrait qualifier de métacrise. Aujourd'hui, nous semblons assiégés de toute part par de telles crises, non seulement à l'échelle nationale, mais à l'échelle mondiale. La guerre, la récession économique, l'assassinat d'un chef politique ou le manque de crédibilité dans la morale de nos gouvernants sont tous des exemples de métacrises. Dans ce chapitre, nous voulons nous concentrer toutefois sur la crise personnelle. Si nous comprenons comment transformer cette crise personnelle en avantage, comment changer d'attitude face aux crises normales de nos vies, nous devrions être mieux préparés à répondre aux métacrises.

Une crise personnelle peut être déclenchée par des événements fondamentaux du cycle de la vie humaine — la naissance, la puberté, le mariage, la grossesse, l'âge avancé et la mort. Elle peut être déclenchée par une modification de l'équilibre de nos cycles psychiques. Le divorce, un changement de statut, d'emploi, de ville : ces événements peuvent également donner lieu à une crise psychologique personnelle et nous faire remettre en question notre vision de nous-mêmes et du monde. C'est ce que nous présumons ou croyons être vrai, c'est notre façon de percevoir la réalité d'une façon subjective qui nous est propre.

Pour bien des gens, ces crises personnelles sont des catastrophes. Nous avons tendance à y réagir par le même comportement qu'en cas d'inondation ou de tremblement de terre : la panique. Ne sachant pas où donner de la tête, déracinés nous avons perdu tous nos points d'appui. Lors d'un tremblement de terre, c'est le point d'appui physique qui se dérobe sous nos pieds ; lors d'une crise personnelle, c'est notre point d'appui psychologique qui vole en éclats. Et pourtant nous pouvons soulager la panique et l'anxiété si nous savons à quoi nous attendre. Mais dans l'un et l'autre cas, celui d'une crise physique ou psychologique, nous sommes placés dans une situation à partir de laquelle nous ne pouvons faire marche arrière et revenir au passé.

La crise est un point de non retour. Peu importe que votre crise ait une cause externe (la mort de votre mari, la perte de votre emploi) ou soit le résultat d'une prise de conscience atroce que votre vie n'est pas ce que vous souhaiteriez qu'elle soit (votre carrière, bien qu'étant une réussite ne signifie plus rien pour vous, votre mariage est dans une impasse). Les crises intérieures sont souvent plus complexes et troublantes que les crises qui nous sont imposées par le milieu, mais dans les deux cas, vous avez atteint un point où il n'est plus possible de battre en retraite. Vous n'avez plus le choix de revenir en arrière, votre univers a changé de façon irrévocable.

À ce point de la crise, vous n'avez qu'une possibilité : changer. C'est comme si l'on vous jetait à l'eau et que vous ne sachiez pas nager ; vous n'avez pas le choix, il faut apprendre. Et la panique dans une telle situation est de toute évidence la dernière des solutions. Si vous arrivez au point où vous ne pouvez plus reculer, il vous faudra avancer dans l'inconnu, vers la nouvelle attitude que vous finirez par adopter au cœur même de l'évolution. En même temps qu'elle vous lance dans cette situation nouvelle, la crise vous fournit une occasion de renouvellement et d'épanouissement. On peut alors envisager la crise non seulement comme étant un danger, mais une force positive, une situation propice à la croissance.

Bien sûr, on peut toujours essayer d'éviter une crise. Mais ce ne serait que faire empirer les choses. Le désir de revenir au passé ou de reprendre racine ne peut qu'être trompeur. Mais si nous l'acceptons, si nous reconnaissons les occasions qu'elle nous offre et si nous apprenons à l'utiliser en tant que force positive de croissance, susceptible de nous aider à faire face à la vie à l'avenir, nous comprendrons alors mieux la douleur et l'anxiété que nous éprouvons tout au long de cette crise.

Notre culture, malheureusement, nous enseigne qu'il faut éviter la crise à tout prix, puisqu'elle n'engendre que douleur et danger. Personne en Amérique ne veut entendre parler de douleur, nous la balayons sous le tapis et nous l'enfermons là où il est impossible de la voir. Nous voulons que nos pièces de théâtre, nos films, nos livres, nous présentent des dilemnes personnels de façon à pouvoir en rire, et donc à pouvoir les rejeter du revers de la main ; l'objectif commun de chaque comédie de situation à la télévision est d'anesthésier la crise en la rendant irréelle et risible. Et lorsque, dans la vie, nous faisons face à une véritable douleur, nous essayons de l'écarter de notre vue à tout jamais.

Nous craignons la réalité, et notre société nourrit cette crainte. Vivant dans une culture mécaniste, nous sommes devenus un peuple mécaniste. Ne faites rien vous-même, nous dit-on, laissez une machine le faire à votre place. Brosser vos dents, presser une orange, trancher une tomate, tailler un rôti. L'on voit même poindre à l'horizon la possibilité de créer un enfant à l'extérieur de la matrice, dans une éprouvette, sans émotions et sans crise de naissance. Nos vies intérieures sont devenues le reflet de cette mécanisation, et dans cette existence anesthésiée on ne peut se surprendre d'avoir perdu notre capacité à sentir la vie et à y répondre. Nous vivons au jour le jour comme des automates. Même nos joies sont devenues tout aussi mécaniques que le rire de nos boîtes à images.

Et pourtant, il est paradoxal de noter que ces machines qui sont sensées nous protéger des crises et de la réalité ne font qu'augmenter notre anxiété. Notre culture rejette les crises, la douleur et l'imperfection et nous fournit des milliers de moyens de les éviter. Pourtant, au fond de nous-mêmes, nous savons que nous allons à l'encontre de notre humanité. Entre le sentiment inné de nous-même en tant qu'individu et ce que la société veut faire de nous, il existe un écart, une disparité entre la réalité et la fantaisie, entre un monde de robots libérés des crises et nos besoins humains de croître et de changer, un écart qui ne peut engendrer que l'anxiété et donner naissance à de nouveaux problèmes. On nous dit qu'il faut jouer un rôle et prétendre que tout va bien dans le meilleur des mondes (avoir l'air bien et se sentir mal) lorsque chaque jour on nous présente de nouvelles causes d'anxiété.

On entend beaucoup parler à l'heure actuelle de la crise de la demi-vie. Cette crise est en fait un point de transition parfaitement normal au seuil d'un nouveau stade de l'âge adulte. Mais parce que notre mythe de la maturité nous assure que nous n'aurons à affronter aucune crise de croissance si nous suivons les règles du jeu, l'évolution naturelle qui se fait à la demi-vie est devenue une chose que l'on craint et qui a pris des proportions de crise. Étant donné le fait que notre société ne tient pas compte de nos besoins de changement et de croissance tout au long de notre vie, elle crée une crise d'une ampleur bien inutile, à partir d'un phénomène naturel d'évolution de l'adulte.

Notre culture refuse au temps la possibilité de résoudre les problèmes. Autrefois, on pouvait être réconforté en écoutant nos grands-parents nous dire que le temps guérit bien des blessures. Bien que cet énoncé contienne une part de vérité, bien que le temps réduise la douleur et nous permette parfois de respirer pour trouver une solution ou nous adapter à notre évolution intérieure, de telles idées, dans notre monde actuel, nous réconfortent très peu car nous manquons de temps. Les choses changent si vite et nous avons tant de choix à faire que rares sont ceux, parmi nous, qui ont le temps de s'adapter à la crise. Il est donc encore plus nécessaire qu'auparavant, dans notre société actuelle, de savoir analyser la crise personnelle et la traiter.

Problèmes, urgences et crises

Il est utile de pouvoir faire la distinction entre un problème, une urgence et une crise. Comme l'a exprimé un homme que nous avons interviewé, « Un problème c'est quelque chose que je sais comment traiter quand il arrive et j'ai confiance de pouvoir y trouver une solution. Mais la crise, eh, bien je n'en connais pas la solution, car elle n'est pas toute faite. » Si le dentiste dit à Philippe qu'il devra suivre un long traitement de gencives pour éviter de perdre ses dents, il s'agit d'un problème. Cela signifie qu'il devra se rendre plusieurs fois chez le dentiste au cours des prochains mois et qu'il devra serrer son budget pour payer les traitements. Mais il sait comment résoudre son problème ; il existe une solution toute faite.

Si la belle-mère de Philippe, en visite chez-lui, glisse dans la baignoire et se brise la hanche, il fait face à une urgence. Mais une fois de plus, il sait quoi faire. On peut faire face aux problèmes et aux urgences en utilisant les ressources dont nous disposons déjà ou en combinant des méthodes connues. Mais rares sont ceux d'entre nous qui connaissent les moyens de résoudre une crise. Ceci est dû en partie au fait qu'une crise exige un nouveau comportement et qu'on ne sait pas et qu'on ne peut savoir quel doit être ce comportement. C'est peut-être aussi que nous n'en savons pas assez sur le processus qui se déroule lorsqu'on traverse une crise.

La solution du problème met en jeu l'application d'une façon nouvelle de ce que nous savons déjà. Vous pouvez résoudre un problème en vous fondant sur des présomptions ou l'optique que vous avez de l'univers. Mais la crise pose un défi pour vos présomptions et exige, presque inévitablement, une modification de votre optique. Pour résoudre une crise, il faut réorganiser notre comportement et nos attitudes. Nous avons tous des ensembles d'attitudes et de comportements établis. On peut les qualifier d'ensembles de perception, d'ensembles mentaux, d'ensembles de sensations, d'émotions et de comportements. La façon dont vous vous brossez les dents et dont vous faites cuire un oeuf fait partie de votre ensemble de comportements personnels. Il en est ainsi quand vous réagissez devant l'éloge ou le défi, ou quand quelqu'un vous demande un service. Ainsi, l'attitude de l'individu équivaut au total de ses ensembles, formés au départ par l'inte-raction entre son moi et son expérience de vie, et par la réaction de son environnement, puisque l'environnement et le moi sont des processus en constante évolution.

Quand la crise frappe, il se peut que le comportement habituel ne puisse convenir. Pour la résoudre, il faut généralement changer nos en-sembles d'attitudes et de comportements et en mettre au point de nouveaux. Nous savons tous que nous devons modifier certains ensembles de comportements, y ajouter et y enlever des éléments, quand la situation change. Si une personne habite un appartement à New-York et va vivre dans une banlieue de Los Angeles, elle devra réagencer son ensemble de comportements, adopter de nouvelles attitudes et façons d'agir qui correspondent à son nouvel environnement. À New-York on prend le métro et des taxis, mais en Californie on conduit une voiture : on ne peut vivre sans voiture.

Prenons un autre exemple : un enfant arrive dans une famille. Le jeune couple a vécu seul pendant plusieurs années. Ils sont très heureux de leur vie ensemble, mais le mari est devenu très dépendant de sa femme et compagne. Le bébé arrive et, soudain, le mari fait face à une crise. Il avait présumé être la personne la plus importante dans la vie de sa femme. Il est resté une personne importante pour elle, mais le couple doit maintenant s'élargir pour tenir compte des besoins de l'enfant. Même si le mari avait prévu qu'il y aurait des changements à la naissance du bébé, il constate que ce n'est pas du tout ce à quoi il s'attendait. Il se sent rejeté, ce qui le met en colère et le rend confus. Son attitude est mise au défi et, pour répondre à la crise, il doit la modifier. Il y réussira peut-être en peu de temps, mais dans certains cas, il faut des années.

Au moment d'une crise, bien des gens commencent par essayer d'adopter leurs anciens comportements pour résoudre le problème. Puisqu'il s'agit d'un défi lancé à leurs attitudes établies, l'ensemble de leurs comportements ne donnera pas les résultats escomptés. Certains doivent s'en rendre compte par eux-mêmes, tandis que d'autres le reconnaissent dès le début et cherchent de nouveaux moyens de résoudre la crise. Le jeune mari de notre exemple commence par mettre à l'essai ses anciennes attitudes et lorsque cela ne marche pas, il commence à transmettre des messages dissimulés à sa femme pour lui faire part de sa frustration. « Où sont mes chaussettes, pourquoi est-ce qu'il n'y a pas de chemises propres ? » Il pourra grommeler : « Pourquoi est-ce que le dîner est toujours en retard ? » En réalité, ce qu'il veut exprimer c'est qu'il se sent négligé et qu'il n'a pas encore modifié son comportement pour y inclure le bébé.

Dans le cas de ce mari, le défi nouveau n'en est pas un d'importance et la crise qui va en résulter pourra sans doute être résolue par le réagencement d'anciennes habitudes et comportements. Le jeune père apprendra, nous l'espérons, que ces besoins doivent s'allier à ceux de l'enfant et qu'il doit s'attendre à un nouveau type de réponse et à une nouvelle expression d'amour de la part de sa femme, réponse qui englobe l'enfant. En réagençant ses ensembles de comportement et en réorganisant les éléments de son attitude actuelle, il réussira peut-être à résoudre le problème et s'en trouvera grandi.

Mais généralement, lors d'une crise, et souvent lorsque le défi est de taille, même le réagencement des anciens ensembles ne réussit pas. L'ampleur de la crise peut exiger que nous adoptions certains nouveaux ensembles de comportements, que nous les intégrions aux ensembles anciens et que nous en arrivions à une attitude et à une optique tout à fait différentes. Si votre femme accouche et que vous perdez votre emploi en même temps, vous devrez faire face à une réadaptation majeure. Si vous divorcez ou êtes divorcé, vous devrez trouver de nouveaux moyens de voir le monde et vos relations avec autrui ; dans vos futurs rapports homme-femme, vous aurez sans doute à laisser tomber certains de vos anciens comportements et à en adopter de nouveaux. Chez bien des gens, la retraite entraîne un choc semblable. Elle exige l'élaboration d'une toute nouvelle série de comportements nécessaires à l'épanouissement.

Quand nous élaborons une nouvelle série de comportements en réponse à une crise, nous évoluons. Quand nous réussissons à être à la hauteur en cherchant de nouveaux moyens de nous adapter à la vie, nous augmentons notre capacité à faire face à un certain nombre d'autres situations éventuelles. Plus notre répertoire de comportements est vaste et complexe, plus nous devenons habiles. C'est l'un des bénéfices de la crise et l'une des raisons pour lesquelles nous ne devrions pas la craindre. La crise fait partie de la vie de l'homme, mais chaque crise que nous affrontons et que nous solutionnons nous renforcit et facilite la solution d'autres crises inévitables à l'avenir.

Bien des gens, lorsqu'ils font face à une crise, <u>confondent la cause et l'effet</u>. Ils en viennent à la conclusion que puisqu'ils ont essuyé un échec, ce n'est pas la peine d'essayer autre chose. Ils sont convaincus que leur crise prouve leur incapacité de réussir. Ils transforment leur crise en motif d'inaction. Au contraire, la crise devrait les provoquer à agir en vue de changer et d'évoluer plutôt que de ne rien faire par crainte de la défaite. Si une jeune femme tente de se lancer dans le monde du théâtre et n'y arrive pas, cela ne signifie pas que sa vie est un échec total. C'est qu'à ce moment de sa vie, le théâtre n'était pas le meilleur moyen pour elle de s'épanouir pleinement. Le fait qu'elle n'ait pas réussi en tant qu'interprète ne devrait pas lui faire prendre la décision qu'elle ne réussira en rien. Ce n'est que l'effet d'un des choix qu'elle a fait. Elle peut faire beaucoup d'autres choix tout de suite ou à l'avenir, y compris le théâtre plus tard. Au lieu de considérer sa crise comme étant une preuve de défaite, elle pourrait l'*utiliser* pour examiner les autres options qui lui sont présentées, découvrir certains aspects de sa personnalité qu'elle n'avait pas développés jusqu'alors et chercher un autre moyen de s'épanouir.

Les crises impliquent des risques ; c'est un moment de danger. Mais c'est également un véhicule de croissance. Si nous refusons de prendre des risques, non seulement nous perdons ce que nous avons acquis mais nous hypothéquons le futur. Une crise est une période d'examen — mais c'est aussi une ère de renaissance. Lorsque nous aurons émergé de la crise, lorsque nous aurons *changé de vitesse*, nous nous trouverons entièrement *réformés* et pleins de courage. Ceux qui ont vu quelqu'un en période de crise, tournant en rond, avec une *face longue* et des expressions ahuries, le trouvent maintenant changé. « Comme tu as l'air heureux ! » disent-ils à ce gars qui semble en pleine forme parce qu'il a changé. C'est à affronter le défi d'une crise que l'on mesure toutes ses possibilités et tout notre potentiel. Avoir vaincu, avoir remonté le courant, c'est être bien équipé pour faire face à de nouveaux revers. La prochaine fois, nous ne serons pas aussi effrayés ; la prochaine fois nous saurons que, de l'adversité, peut émerger quelque chose de très fort, quelque chose de merveilleux.

La douche froide

Beaucoup d'entre nous écopent largement de la vie ce qui n'est pas mieux que de recevoir la note C à un examen. Nous n'échouons pas mais nous ne gagnons pas d'étoile d'or non plus. Nous disons : « je n'ai pas pu réussir. » Alors, c'est comme lorsque nous agitons nos mains en guise de désespoir. Nous nous situons à mi-chemin entre avancer et battre en retraite. Cela ne nous donne pas un sens positif dans l'utilisation de toutes nos ressources, pas plus qu'au contrôle de la situation. C'est une douche froide et nous nous en contentons.

Mais passer au travers d'une crise est quelque chose de différent. Une telle situation ressemble déjà à une pré-crise à court terme. Et si nous n'y faisons pas face, nous serons défaits. En situation de crise, nous devons prendre les devants. Ainsi cela peut être profitable au stade préliminaire de la crise tandis que nous essayons de maintenir notre équilibre, c'est-à-dire, faire ce qu'il y a de mieux dans une mauvaise situation, à un moment donné. Prendre les devants, c'est même salutaire. Cela peut nous donner le temps de respirer jusqu'à ce que nous soyons aptes à faire face à la crise toute entière. Mais cela ne résout pas la crise à notre place.

Le Dr Karl Menninger, dans son livre *The Vital Balance*, parle de ces attitudes régulatrices qui nous permettent de faire face au *stress* quotidien. Quelques-uns des mécanismes qu'il décrit, parmi d'autres, peuvent être classés dans des catégories différentes.

Restauration physique	Émotions	Substituts
Manger	Blâme	Rationalisation
Boire	Maladies	Discussion
Fumer	psychomatiques	Télévision
Drogues	Pleurs	Cinéma
Sommeil	Je-m'en-foutisme	Lèche-vitrines
Sport	Rire	
Travail		

Chacun de nous admet que le fait de pleurer un bon coup est bénéfique. Cela ne règle pas nos problèmes pour autant mais cela nous fait du bien. Une bonne tape sur l'épaule de la part de quelqu'un qu'on aime bien, partager un café, un thé, une cigarette dans un moment de tension peut nous donner un genre de repos à court terme. Nous pouvons, aussi, faire de l'exercice pour éviter une crise, comme un homme qui joue au golf à un moment où il doit affronter sa femme ; ou bien nous faisons de l'exercice pour laisser sortir la pression ou pour résoudre un problème et y réfléchir. Blâmer quelqu'un d'autre qui a développé de l'asthme psychomatique, ce n'est certainement pas le moyen de l'aider. Cela peut même compliquer les choses en créant une deuxième crise suite à la première.

Pour le bien comme pour le mal, nous ne pouvons pas résoudre nos crises par de tels excipients. « Si l'objectif n'est pas atteint, dit le Dr Menninger, il va falloir payer plus cher pour maintenir cet équilibre vital. » Lorsque de tels subterfuges sont utilisés avec excès ou pendant trop longtemps, ils finissent pas ne plus servir à rien. Et lorsque nous évitons la crise, nous prolongeons leur emploi. C'est comme lorsque nous évitons d'aller chez un médecin alors que nous savons que nous sommes malades : nous ne serons pas soignés plus aisément.

Voici l'histoire d'une femme qui a été forcée de fuir les nazis durant la seconde guerre mondiale. Il lui était difficile de savoir quoi faire et où aller, sans compter que chaque heure comptait. Mais, dans cette crise, la première chose à laquelle elle pensa fut d'aller dans une pâtisserie. Une fois à l'intérieur, elle s'assit et but une tasse de café accompagnée des plus riches pâtisseries. Ainsi restaurée, elle se sentait prête à fuir les nazis. Agir ainsi nous procure, quelquefois, un moment de détente. Cela nous procure un certain *confort* immédiatement nécessaire. Si nous ne pouvons pas utiliser de tels moments de *confort* pour fuir la confrontation nécessaire avec la crise, alors nous pouvons les utiliser en conjonction avec le développement de la crise.

DIX POINTS À RETENIR

PREMIER POINT :

Ce n'est pas la nature de la crise elle-même qui détermine son impact mais surtout notre attitude à son égard et cette attitude est influencée par un certain nombre de facteurs : 1) l'estimation des concepts d'une personnes basés sur des mythes tels que le mythe de la maturité ; 2) l'estimation de ce qu'un individu sait réellement ou veut réellement ; 3) le changement est volontaire ou forcé par des pressions extérieurs ; et 4) l'individu a ou n'a pas une stratégie pour faire face à ces changements. En retour, ces facteurs affectent la durée de la crise. C'est ce que nous appellerons la *mesure de la crise.*

Lorsque nous sommes confrontés à une crise, nous filtrons, au travers de notre optique psychique, les évènements extérieurs qui donnent une portée et une forme à la crise. Il ne faut pas perdre de vue que cette évaluation est affectée par notre personnalité, la structure de notre caractère, l'historique de notre vie, nos opinions, notre système de valeurs. Ce n'est pas ce que nous voyons qui compte, mais comment nous percevons ce que nous voyons.

DEUXIÈME POINT :

Chacun de nous a un potentiel de crise différent. Ce qui peut être une crise pour une personne est simplement un problème pour une autre. En Amérique Latine, la perte d'une servante, dans quelques classes moyennes, est une crise réelle parce que, dans la vie de tous les jours, la bonne marche de la maison dépend du travail de cette femme. D'un autre côté, pour une jeune femme américaine qui a une carrière et qui jongle constamment avec sa maison, son travail, ses enfants, la perte d'une bonne est seulement un problème parmi une série de problèmes. Un changement de travail peut devenir une opportunité pour un homme et un immense problème pour un autre.

Chacun de nous possède différentes ressources pour faire face à sa crise. Certains en ont beaucoup, certains en ont peu. Quelques personnes peuvent posséder un *égo* très fort qui leur permette de résoudre les crises plus aisément que d'autres qui sont moins intégrés ou moins organisés. Plus nous avons d'expérience avec les crises, mieux nous pouvons les affronter. Notre potentiel qui a évolué avec les crises fait que nos ressources se sont constamment enrichies.

Parce que nous avons différentes ressources, nous réagissons différemment à différentes crises, et différemment à des crises similaires à différents moments. Cela dépend de notre état émotionnel du moment. Si vous êtes en pleine période de *stress* lorsqu'une crise survient, vous trouverez celle-ci beaucoup plus difficile à régler. Il y a, bien sûr, des gens dont les crises sont permanentes — la femme qui *s'écroule* lorsque sa machine à laver est tombée en panne. Il y a également ceux qui développent de *pseudo-crises* afin d'attirer l'attention sur eux. Ils vous racontent sans cesse leurs malheurs, comment ils doivent y faire face, quel mal ils ont. Ils ne sont pas nécessairement désorientés, mais ils ont décidé de *faire carrière* dans la crise qui est devenue leur mode principal de communications avec les autres.

TROISIÈME POINT :

Nous pouvons apprendre à distinguer entre différents types de crises. Il y a des crises catalytiques — celles qui sont précipitées par les évènements extérieurs. L'immeuble dans lequel vous habitez s'est écroulé, votre mari vous a quittée, vous n'avez pas un emploi qui vous permette de faire face à vos obligations ou votre patron vous met à la porte.

Puis il y a les autres crises : celles qui sont provoquées par quelques causes intérieures. Le premier signe de telles crises peut, en général, être un sentiment d'insatisfaction. C'est suivi par une remise en question de vos amitiés, de votre travail, et rien ne semble aller comme vous le souhaiteriez.

QUATRIÈME POINT :

Quelques fois nous devons faire face à plus d'une crise à la fois ; à ce moment-là nous devons trier nos crises et les régler une par une. En fait, lorsqu'il y a plusieurs crises à la fois, elles sont reliées les unes aux autres. Par exemple, Pierre avait un emploi dans une grande compagnie. Cette compagnie avait des succursales partout à travers le pays et pendant les dix premières années de mariage de Pierre avec Barbara, ils sont déménagés cinq fois puisque Pierre a été muté dans différentes de ces succursales situées dans différentes villes. Ainsi, durant ces quatre dernières années, ils vivaient à Boston, une ville que Barbara et les enfants aimaient beaucoup. Pierre a été informé qu'il ne serait pas réassigné à nouveau dans cette ville. Barbara lui dit : « Non, nous n'irons pas beaucoup plus loin ! si tu acceptes cette nouvelle affectation, tu n'auras qu'à y aller sans nous. Nous resterons ici ! » Les enfants allaient maintenant à l'école, s'étaient fait un grand nombre d'amis et ne souhaitaient pas déménager. Ainsi la question, pour Pierre, était de décider laquelle de ces différentes crises il réglerait en premier. Lui-même en avait marre de déménager d'un bout à l'autre du pays. Mais s'il refusait, ses chances d'avancement diminueraient beaucoup. S'il décidait d'aller de l'avant, il abandonnerait sa famille. La crise qu'il trouvait la plus grave, personnellement, était l'idée de vivre sans Barbara. Mais il devint clair pour lui que la crise familiale pouvait être résolue s'il résolvait sa crise de carrière. Il décida de régler celle-ci en premier. Il finit par se trouver un emploi auprès d'une compagnie de Boston et régla, du même coup, sa crise familiale.

Dans ce cas, la crise la plus importante, celle que Pierre trouva la pire, ne fut pas celle à laquelle il fit face en premier. Pour quelqu'un d'autre, dans des circonstances différents, la carrière aurait pu sembler plus importante que la famille. Un tel homme aurait pu aller dans la direction opposée à celle de pierre, espérant que sa femme finirait par le suivre. Ainsi, en identifiant des crises multiples, il faut savoir ce qui est le plus important pour vous dans la vie. Tant que vous n'avez pas fait ce choix, il est difficile de faire face à des crises multiples.

CINQUIÈME POINT :

Pas de panique ! la panique est trop souvent notre première réaction en temps de crise. Mais la panique peut être abordée sans danger si nous savons quelle sorte de symptômes d'anxiété nous ressentons en nous lorsque les crises surviennent. Les psychologues ont décrit trois phases de crises auxquelles les individus doivent faire face :

1) troubles physiques et psychologiques. Dérangement de certaines fonctions (indigestion, insomnie, palpitations), et du contrôle intellectuel et mental.

2) une certaine préoccupation à l'égard du passé. Par exemple, celui qui commence à penser qu'il a perdu les meilleures années de sa vie à faire un métier qu'il n'aime pas, consacrera certainement beaucoup de temps à ressasser le passé, blâmant, quelquefois, autrui.

3) une période de remobilisation de nos ressources, suivie d'activités dans quelques directions. C'est à partir de ce point que nous pouvons commencer à *changer de vitesse*, et prendre la résolution que la crise nous conduira vers une évolution.

Plus vite nous atteindrons cette troisième phase de réactions de la crise, plus vite nous pourrons *changer de vitesse*. Mais beaucoup d'entre nous restent *accrochés* à la première ou à la deuxième phase, favorisant ainsi la panique. Beaucoup de gens n'ont pas besoin de faire l'expérience d'une crise majeure psychologique pour connaître la panique ; la seule vue de quelque chose de nouveau, ou de peu conventionnel, peut provoquer de l'anxiété. Chacun de nous est familier avec l'anxiété puisque nous l'avons connue, enfants, lorsque nous sommes allés à l'école pour la première fois, ou chez un dentiste. Ces étapes passées, notre anxiété a disparu et nous avons développé une certaine maîtrise à l'égard de ces situations. Savoir que vous n'êtes pas seul aide également. Personne ne vit sans anxiété. Même nos astronautes connaissent l'anxiété ; mais ils ont appris à maîtriser leurs sentiments et à penser aux solutions des problèmes posés. Ils ont appris à utiliser leurs relations avec leurs amis astronautes qui peuvent les aider dans leur périodes de stress et de décision. Si nous connaissons nos symptômes d'anxiété, nous pouvons faire face aux crises ou aux changements et devenir maîtres de ces situations.

SIXIÈME POINT :

Faire le tour de la question de la crise. Dans chaque crise nous n'atteignons pas seulement un point de non retour, mais nous allons vers un certain nombre de questions. Si un homme est assis dans son bureau et qu'il se questionne afin de savoir s'il doit ou pas déménager dans un autre immeuble, il est face à une question. Et il devra faire un choix quant à cette question. Il ne peut ni délibérer ni vasciller longtemps. Surtout si l'édifice dans lequel il habite actuellement vient d'être la proie des flammes. Il doit déménager. Lorsque nous nous trouvons en état de crise, consciemment, nous ne nous posons pas de questions. Mais il y a toujours une question implicite dans chaque crise ; et si nous pouvons la découvrir, cela peut nous aider considérablement à trouver la direction dans laquelle nous voulons aller.

Si un individu vient de perdre son emploi, la question peut être la suivante : « Est-ce que j'aimais réellement ce métier ? Était-il bon pour moi ? » Il pouvait, ou non, se poser ces questions consciemment avant de perdre son emploi. Mais désormais, cet individu déplace le problème. Cela peut l'aider à déterminer quel genre d'emploi il devra trouver. De façon similaire, une femme qui deviendrait subitement veuve a une question implicite à se poser au sujet de sa vie avec son défunt mari, question qu'elle n'avait sans doute pu se poser auparavant : « Puis-je vivre sans lui ? Puis-je être une personne indépendante ? » Une fois encore, la voilà face à une question en regard de sa vie passée ; et cela pose d'importants jalons pour sa vie future. Ainsi, en explorant la question implicite à chaque crise, nous pouvons mieux comprendre les changements à venir.

SEPTIÈME POINT :

Aller vers la crise. En allant vers la crise nous pourrons l'explorer jusqu'au fond, sans l'éviter, sans chercher de voies de détournement. Nous devons faire face, non seulement à ce que nous sentons, mais nous demander ce que nous ressentons. Si nous tenons compte du fait que notre perception est altérée par notre personnalité et notre structure caractérielle, notre expérience de la vie et nos attitudes, il n'y a qu'un seul pas à faire pour trouver les questions qui nous conduiront vers la nature réelle de notre crise : « Y a-t-il quelque chose dans ma personnalité qui me pousse à pressentir la voie dans laquelle je m'engage ? Quels sont les évènements de ma vie passée qui peuvent m'influencer dans mes sentiments actuels ? Est-ce que mon attitude me permet de voir les problèmes clairement ? Est-il nécessaire pour moi de changer ? Dans quelle voie devrais-je me diriger ? »

Ce ne sont pas là des questions faciles et nous ne pouvons guère espérer obtenir de réponses immédiatement. Mais, si nous faisons l'effort de nous les poser, nous accomplirons deux choses importantes. Premièrement, nous découvrirons la vraie nature de notre crise, ce qui rendra possible le commencement du processus de *changement de vitesse*. Deuxièmement, nous ferons en sorte que cette crise *travaille* pour nous, parce qu'en nous posant de telles questions nous en apprendrons plus au sujet de ce que nous sommes et de ce que nous voulons. Tout ce que nous apprendrons ne sera pas applicable immédiatement mais, plus nous en saurons à notre sujet et au sujet de notre relation avec le monde environnant, plus nous évoluerons et plus cette évolution sera aisée.

En allant vers la crise et en nous ouvrant entièrement à elle, il se peut fort que nous ne trouvions pas cette situation confortable. Mais ceux qui traversent généralement des crises avec succès sont souvent ceux qui ont pris le taureau par les cornes.

HUITIÈME POINT :

Ne jugez pas trop vite et n'adoptez pas de solutions immédiates. Beaucoup de crises semblent exiger des décisions et des actions immédiates. Nous pouvons être enclins à être aveugles dès le premier choc d'une crise où pendant la panique qui l'accompagne. Mais alors, pas de panique ! Pour le moment, arrêtez tout. Reconnaissez que vos perceptions peuvent être altérées par les premiers symptômes d'anxiété et qu'il n'est guère dans votre intérêt de prendre des décisions rapides.

Si votre épouse, après des années de vie commune, vous demande le divorce, un soir, et vous demande de quitter la maison, que ferez-vous ? Certainement pas aller vous chercher un appartement dès le lendemain matin et signer un bail de deux ans. A priori, vous prendrez un chambre d'hôtel ou vous vous réfugierez chez un ami pendant quelques jours, en attendant de faire le point. Ou bien, vous déciderez de vous asseoir et d'attendre la suite des évènements.

Durant les premières heures ou les premiers jours d'une crise, il peut sembler intelligent de vous demander ce que vous êtes en train de faire, quelle est l'action que vous êtes en train de conduire, et si cette dernière aura des effets à long ou à court terme. Si cette action doit avoir des effets à long terme, souvenez-vous encore que vous n'êtes pas en état de prendre ce genre de décision.

NEUVIÈME POINT :

Trouver quelqu'un qui puisse vous écouter. Lorsqu'une crise survient, ce point peut être le premier à appliquer. Ne paniquez pas ; freinez sur de courtes distances, et trouvez quelqu'un à qui parler. Il peut s'agir de votre ami ou de quelqu'un de votre famille. Il n'est pas nécessaire que ces conversations soient tenues sous le sceau du secret le plus absolu. Mais, par le seul fait de parler à quelqu'un, on peut diffuser notre anxiété et clarifier quelques unes de nos confusions. Au moment d'une crise, nous avons spécialement besoin d'un support affectif de gens que nous aimons bien. Mais cela ne doit guère impliquer quelqu'un qui insistera pour vous dire ce que vous devez faire. Et surtout pas quelqu'un qui vous racontera que vous êtes un homme exceptionnel et que tous les autres sont des imbéciles. Vous avez surtout besoin d'une personne qui peut vous comprendre avec compassion, sans pour autant vous offrir de solutions immédiates ou vous dire quoi faire. Seulement, vous pouvez résoudre votre crise. Les autres personnes peuvent vous aider, mais ne peuvent pas résoudre cette crise à votre place. Mais si elles peuvent voir votre situation plus objectivement que vous, elles peuvent vous donner un point de vue différent. Vous pouvez demander à d'autres personnes comment elles-mêmes résolvent leurs propres crises. Ces personnes peuvent alors vous donner un modèle à suivre, modèle qui est quand même approximatif. Mais vous devez trouver quelque chose dans la solution de leur crise qui puisse s'appliquer à la vôtre.

Vous pouvez penser avoir besoin de l'aide d'un professionnel de la question et, heureusement, il existe aujourd'hui de nombreux professionnels qui comprennent la nature de nos crises personnelles et sociales. De tels centres d'intervention existent dans de nombreux hopitaux et organismes s'occupant de santé mentale ; ils fournissent de nombreuses techniques immédiatement applicables. Dans de nombreux cas, des thérapeutes peuvent aider à faire face aux crises de façon positive. mais, même le meilleur professionnel ne peut résoudre notre crise à notre place. La seule chose qu'il peut faire, c'est de nous aider à résoudre cette crise.

DIXIÈME POINT :

Afin de tirer parti de tout le potentiel de notre nature humaine, nous devons continuer à évoluer tout au long de notre vie. Les crises nous donnent une grande marge d'évolution. Nous évoluons de plusieurs façons, subtilement. Mais lorsque nous sommes en état de crise, toutes notre attention est concentrée sur la solution de cette crise ; ainsi pouvons-nous aller de l'avant. Lorsque nous voulons apprendre une nouvelle langue, ou à conduire une automobile, ou à utiliser une machine à calculer, nous faison un effort conscient. Mais avec des habitudes émotionnelles, il est beaucoup plus dur d'apprendre quelque chose de nouveau, bien que les résultats puissent être conséquents. Non seulement les efforts conscients que nous faisons à changer conduisent-ils à la solution d'une crise particulière, mais cela peut nous conduire à un nouveau sens de nous-mêmes et à une nouvelle confiance en soi. Nous évoluons en faisant face à nos crises la tête haute, tout en cherchant de nouvelles voies qui peuvent enrichir notre monde intérieur.

Une crise est un processus de distillation par lequel nous pouvons émerger beaucoup plus complètement de nous-mêmes. Comme le métal qui est tempéré dans le feu, les impuretés peuvent être brûlées. Nous pouvons sortir de là, *vrais et propres*, avec l'âme encore intacte mais tempérée. Ainsi qu'un ami nous le disait, « je connais véritablement quelqu'un dans une crise, et j'apprends à le connaître en une minute. » Non seulement nous pouvons mieux apprendre à connaître les autres en état de crise, mais nous pouvons nous connaître nous-même davantage au cours de nos crises si nous faison l'effort de mettre ces crises à notre service en nous explorant plus profondément que nous ne l'avons jamais fait.

CHAPITRE VI

RIEN N'EST PERDU

La journée ne fait que commencer

C'est le passé qui nous empêche d'avancer et de *changer de vitesse* lorsque nous sommes en état de crise. Nous disons : « Si seulement j'avais fait telle ou telle chose, je ne serais pas dans le pétrin. » Ou : « Si je n'avais pas fait telle ou telle chose, tout serait parfait. » Pierre B. par exemple, a perdu son emploi simplement parce que la firme de courtage qui l'employait a fermé ses portes. Il ne peut guère se blâmer. Pourtant il le sait, il regrette de n'avoir pas accepté un emploi qu'on lui avait offert trois ans plus tôt. À l'époque, un vieil ami avait fondé une société qui construisait et distribuait des appareils stéréophoniques de haute qualité. Il avait demandé à Pierre d'entrer dans cette nouvelle société comme trésorier. À l'époque, un tel geste aurait imposé à Pierre une diminution de salaire ; d'autant plus qu'il n'était pas certain que cette firme connaîtrait le succès. Ainsi avait-il refusé.

Mais depuis, à cause de recherches avancées, la compagnie en question est devenue, en vérité, une grande entreprise. Regardant en arrière, Pierre s'en veut d'avoir pris une mauvaise décision. Si seulement il avait accepté cet emploi, il ne serait pas actuellement en crise, se dit-il. Et il perd beaucoup de temps à s'en vouloir de la sorte, temps pendant lequel il ne fait pas face à sa propre crise. Au lieu de découvrir quelques voies nouvelles à son avenir, il reste désespérément accroché à son passé.

Prenons un autre exemple. Suzanne S. a abandonné ses études après deux années et elle a accepté un emploi de secrétaire qui devait lui permettre d'aider son mari Jacques à terminer son Droit. Ils ont attendu avant d'avoir des enfants que Jacques ait passé ses examens du Barreau et qu'il ait trouvé un emploi. Maintenant les enfants ont 10 ans. Le rôle primaire de Suzanne au cours de ces 16 dernières années a été d'être une épouse. Mais maintenant, Jacques veut divorcer. Il a eu une maitresse pendant de nombreuses années et désire maintenant l'épouser. Suzanne n'est pas seulement en crise, elle nage en plein désespoir. Il n'est guère juste que son mariage s'écroule de cette façon puisqu'elle et Jacques ont pu s'entendre pendant longtemps. Ce qui la désespère le plus c'est qu'elle a *perdu* la moitié de sa vie d'adulte pour lui. Elle se souvient comme elle était heureuse de quitter le collège vingt ans plus tôt. Et maintenant elle ne peut rien faire sinon remâcher le fait qu'elle sera abandonnée.

Autant Pierre que Suzanne pensent qu'ils ont pris une mauvaise décision dans le passé, et que leur crise actuelle est basée sur d'anciennes erreurs. Pierre est convaincu qu'il a laissé passer des chances miraculeuses dans sa vie. Quant à Suzanne, elle pense tout simplement qu'elle a perdu sa vie. Alors, plutôt que de faire face à la crise, de l'affronter, chacun s'est installé dans un carcan de regrets.

Lorsque nous arrivons à un point de crise tel que celui de Pierre ou Suzanne, à un point de non retour à partir duquel les choses essentielles peuvent changer, nous avons atteint la fin d'une journée particulière de notre vie. Pourtant de nouvelles expériences nous attendent, des expériences qui nous apporteront beaucoup et, surtout, une vision modifiée de nous-mêmes en tant qu'individus : un nouvel état d'esprit, en fait. Mais tout le temps que nous perdons à regretter cette journée-là nous coupe presque du lendemain.

Par analogie, nous pourrions éclaircir la situation de Suzanne et Pierre. Si, voyageant en Europe, vous traversez la Manche par bateau pour vous rendre à Paris, il se peut que vous deviez faire face à du mauvais temps. Mais, dès que vous aurez atteint la France, tout le temps que vous aurez perdu à vous lamenter sur le fait qu'il aurait mieux vallu de prendre l'avion aura complètement disparu et vous apprécierez votre séjour à Paris. De toute façon, vous ne pouvez guère changer votre décision quoiqu'il en soit. Le sens commun vous dira d'oublier cette mauvaise journée et de regarder avec bonheur ce qui est devant vous.

Pourtant, si la plupart d'entre nous pouvons reconnaître ce sens commun, bien peu peuvent appliquer ce même théorème à l'ensemble de leur vie et, en particulier, lorsqu'ils sont en situation de crise. Comme Pierre et Suzanne, nous allons nous arrêter et faire le procès du passé. Nous allons pleurer à chaudes larmes sur ces années supposément perdues. Mais ce que nous faisons réellement c'est d'ériger ce concept de *perte* comme quelque chose de rationnel. Mais, tant et aussi longtemps que vous penserez que la solution de votre crise actuelle se trouve dans votre passé, vous continuerez à vous dire qu'il n'y a pas de solutions et vous ne trouverez pas le courage de faire un pas en avant. Le temps perdu en regrets nous fait perdre trois fois plus :

nous ne pouvons pas changer le passé, nous perdons notre temps présent et nous nous nuisons quant à notre futur.

Nous avons de telles réactions, en état de crise, pour de nombreuses raisons. En partie, c'est dû au temps consacré à ériger la plupart des situations de crise. Lorsque Suzanne regarde vers son passé et met tout le blâme sur son ancienne décision d'abandonner ses études et d'épouser Pierre vingt ans auparavant, elle part du principe que la moitié de sa vie d'adulte a été une erreur. D'un autre côté, l'impact de la situation de crise fait qu'il est plus important de se concentrer sur le futur, sur ce que vous allez faire à partir de maintenant et comment vous allez le faire : oubliez votre mauvaise traversée de la Manche qui peut *mettre à terre* votre première journée à Paris ! Oubliez que vingt ans de votre vie peuvent nuire aux nombreuses années futures et, peut-être au reste de votre vie.

Le mythe de la maturité joue également pour une part dans notre impression que le passé a été du temps perdu. Ce mythe nous avait appris que nous devions éventuellement être sécures et, lorsque nous découvrons que nous ne le sommes pas, nous avons l'impression d'avoir été volés. Dans une telle situation, nous chercons qui blâmer. Ou, comme Pierre, nous pouvons nous dire que nous avons agi à la légère. Quoiqu'il en soit, une fois de plus nous regardons derrière cherchant désespérément dans le passé des réponses et de nouvelles voies, dans le présent et pour le futur.

Mais, souvent, une raison de base nous pousse à fixer notre attention sur le passé beaucoup plus que sur le futur lorsque nous sommes en crise : c'est parce que la plupart d'entre nous n'avons aucune idée des pouvoirs de l'évolution psychologique que nous avons en nous. Ne pas connaître ces facteurs d'évolution psychologique ne nous permet donc pas d'utiliser notre expérience au service de cette évolution.

Comment nous évoluons

Savoir comment nous évoluons est fondamental à la maîtrise de notre propre stratégie de vie. Comprendre le processus d'évolution, rendra plus facile pour nous l'identification des éléments qui surviennent dans nos relations avec les autres, ce qui arrive en état de crise, pourquoi il est si nécessaire pour nous de *changer de vitesse* et comment faciliter cette évolution qui nous est impérative.

Nous évoluons selon certaines normes définies et reconnaissables. Mais l'évolution psychologique qui est au coeur même de notre *changement de vitesse*, n'est pas si facile à identifier. Ainsi, beaucoup suivent certains principes qui répondent à des marques définies et qui adoptent des formes facilement reconnaissables. Ces principes et ces processus, communs à tous les organismes vivants, et apparents dans notre évolution sociale et psychologique aussi bien que dans notre évolution physique, ont brillamment été présentés par George T. Lock Land dans son récent livre, *Évoluer ou Mourir*.

Toute évolution est une transformation. Nous regardons un jeune enfant avec sa petite face ronde : elle se développera et se transformera au travers de la puberté, de l'adolescence, et ainsi de suite jusqu'à la vieillesse. C'est pourtant le même corps, dans l'enfance comme dans la sénilité, mais il évolue et se transforme. Il a pris des forces du monde extérieur, et grâce à ses mécanismes génétiques et hormonaux, il a transformé ces forces en un corps adulte. Ici, la transformation et l'évolution sont visibles. Et tandis que ce corps évolue, deux autres sortes de transformation existent : l'évolution sociale et psychologique. La socialisation, nous pouvons également le voir, nous apprend à dire *merci* et *s'il vous plaît*, nous apprend à nous servir d'un couteau, d'une fourchette, etc. Mais nous trouvons que l'évolution psychologique est beaucoup plus mystérieuse pour la simple raison, que nous ne pouvons pas y accéder aussi facilement et voir ses résultats sous une forme plus concrète. Nous pouvons seulement la voir au travers de mots, d'expressions, d'attitudes et de manifestations de la personnalité. Un enfant est propre et bourré de bonnes manières ; un autre enfant, de la même famille, est négligé et rebelle. Et nous nous demandons pourquoi.

Pourtant notre évolution psychologique évolue selon les mêmes schèmes que notre évolution physique. Pour que notre corps évolue nous avons besoin de nous nous nourrir ; nous tamisons soigneusement ces forces, les absorbons, les digérons et les assimilons. Nous faisons exactement la même chose avec notre évolution psychologique. Nous cherchons des nutriments (information) dans notre monde extérieur. Nous tamisons cette information, choisissant ce qui nous est utile et rejetant ce que nous pensons être dangereux. Ce processus de tamisage est appelé perception sélective : lors d'une réception, par exemple, nous tamisons des bruits qui nous entourent afin d'être capables d'entendre la conversation d'une personne qui est près de nous. Cette perception est modifiée, influencée par notre mémoire. Nous digérons et analysons ces informations, les morcelant en unités utilisables. Finalement, nous rassemblons ou synthétisons cette information en fonction de l'usage que nous en ferons à l'égard du monde extérieur.

Lorsque nous nous projetons vers le monde extérieur, nous mettons à l'épreuve nos informations contre lui. Le monde extérieur nous apporte des *feedbacks* positifs ou négatifs, nourrissants ou pas. Un *environnement nutritif* qui encourage notre évolution de façon positive ne nous donne pas seulement des *feedbacks*, mais des *feedforwards*. Dépendant des réponses que nous obtenons, nous modifions ou régularisons nos actes futurs d'évolution. Les réponses que nous obtenons sont de nouvelles informations, et le cycle recommence à nouveau. Ainsi, nous sommes au coeur d'un processus d'échanges constants et d'interactions avec le monde qui nous entoure, en relations interpersonnelles ou en relations avec des objets, des situations et des expériences. Évoluer implique « d'incorporer des parties de cet environnement à notre système. »

En accord avec ce processus général, trois étapes séparées d'évolution ont été définies par Land. Enfants, nous évoluons presque par *héritage*. Nous sommes tous *moi*, absorbant tout ce qui passe à notre portée. Il n'y a pas de réels échanges réciproques avec notre environnement. Nous essayons de prendre chaque chose qui vient de l'extérieur. Puis nous entrons dans une phase *réplicative* qui se base presque essentiellement sur l'imitation. Nous voulons ressembler aux autres ou nous associer avec eux qui sont comme *nous*. Nous n'absorbons et ne digérons que les informations que nous savons nous convenir et écartons tout ce qui est trop différent. Nous sommes devenus plus sélectifs qu'au cours du stade précédent. Mais là encore, il s'agit d'un échange limité avec l'environnement ; nous ne cherchons pas à créer quelque chose de nouveau.

Alors intervient le troisième stade de notre évolution qui se base sur un réel échange réciproque et mutuel avec le monde exérieur. Nous arrivons au partage. Non seulement nous partageons ce qui est communautaire mais aussi nos *feedbacks* réciproques. Il peut s'agir de relations interpersonnelles avec son conjoint, un ami, des enfants ou des compagnons de travail tout comme il peut s'agir d'échanges d'idées, d'objets, de connaissances. C'est ainsi que nous sommes capables de créer de nouvelles combinaisons avec le monde extérieur. Nous utilisons ces trois étapes dans notre évolution individuelle. Chacune d'elle est un pas qui prépare au suivant. L'étape puérile est très importante dans le développement de l'enfant et il arrive même que, comme adultes, nous réagissions de cette manière quand, par exemple, nous avons soudainement l'impression qu'une chanson, qu'un poème ont été écrits juste pour nous.

Il arrive même que cette sorte de réponse puisse être excessive chez l'adulte. Nous connaissons tous des gens qui, constamment, semblent dire : *moi, moi, moi*. Et tant et aussi longtemps que leurs désirs ne sont pas réalisés, il est pratiquement impossible à ces gens-là d'être satisfaits. Souvent, ces gens s'adonnent à l'alcoolisme ou à l'abus de drogues. Ou, plus communément, ces personnes totalement égocentriques ont besoin de posséder ou d'être possédées.

La phase *réplicative* peut également nous être utile comme adultes. Si nous voulons apprendre la dernière dans à la mode, nous allons commencer à agir par émulation, par la répétition de gestes qui seront faits par quelqu'un de plus experts de soi. Nous copierons les gens que nous admirons tout comme nous pourrons influencer les autres à nous copier. Et, de cette manière, nous évoluons quand même. Mais si nous basons toute notre vie autour d'émulations par rapport aux autres, nous risquons de devenir esclaves de répliques, abandonnant ainsi notre individualisme aux mains de nombreuses autorités en *conformisme*. C'est seulement lorsqu'une forme domine nos principes personnels que l'évolution est engagée dans un canal non productif.

Pour l'adulte, l'évolution mutuelle est certainement la meilleure. Notre environnement, notre communauté, notre famille, nos groupes, notre monde ne sont pas seulement un vaste terrain duquel nous puisons les nourritures nécessaires à notre corps et les informations nécessaires à notre psychisme : ils représentent une part intégrale de notre personnalité et de notre évolution. Dépendant de notre degré de sélection et des *feedbacks* positifs que nous recherchons, il nous sera possible d'évoluer selon la forme que nous souhaitons et avec les valeurs que nous chérissons.

Quel genre de souvenirs collectionnez-vous ?

Puisqu'on sait maintenant comment nous évoluons, nous allons pouvoir voir beaucoup plus clairement comment les crises peuvent affecter notre croissance et comment une recherche active peut nous aider à résoudre ces crises. Pour commencer, tout apprentissage est cumulatif depuis l'enfance jusqu'à un âge très avancé. Vous pouvez oublier des incidents, vous pouvez arrêter d'apprendre mais tout ce que vous savez, comme apprendre à nager, même si vous n'avez pas nagé depuis cinq ans, vous pourrez vous en servir si vous en avez besoin. Souvent nous n'apprécions pas la signification ou la valeur de ce que nous avons appris pendant longtemps. Or, rien n'est réellement perdu et tout ce que nous savons peut émerger dans une nouvelle conscience d'évolution.

L'information est un aliment — vous êtes autant en terme connaissances qu'au sens physique, ce que vous mangez. Tout comme certains d'entre nous mangent de meilleurs aliments que d'autres — essayant une grande variété de produits, prenant grand soin de choisir des aliments à haut potentiel nutrifit — certains d'entre nous recherchent un information contenant une grande variété de facteurs et un grand potentiel d'utilisation. Certains ne souhaitent pas manger autre chose que de la viande et des pommes de terre, et se contentent facilement de produits très ordinaires. En état de crise, nous avons à faire l'inventaire de nos connaissances au sujet du monde, inventoriant ces pièces d'information qui peuvent être utilisées à la solution de notre crise.

De la même manière, beaucoup d'entre nous ont tendance, en temps de crise, à se souvenir des erreurs majeures qu'ils ont faites. Suzanne faisant face à sa crise, est appelée à se souvenir des mauvais coups qui lui sont arrivés. Elle regarde attentivement ses erreurs : l'abandon de ses études, son mariage.

Suzanne passe à travers ses souvenirs. Mais quel genre de souvenirs collectionne-t-elle ? Seulement les mauvais. C'est comme si vous reveniez d'un voyage en Europe avec dans votre poche la facture d'un restaurant que vous avez trouvé un peu cher plutôt que de revenir avec le menu très décoratif d'un autre restaurant que vous avez beaucoup apprécié.

Ces souvenirs négatifs n'aideront certainement pas Suzanne à traverser sa crise. Pourtant, lorsque Suzanne avait décidé d'abandonner son collège, d'épouser Jacques, elle ne commettait pas d'erreurs à ce moment-là. Elle était même heureuse de quitter le collège et, après avoir pesé la question, c'était bien ce qu'elle avait voulu faire. C'est même ce qu'elle a fait !

Suzanne ne découvrira certainement pas de solution maintenant en se lamentant sur *ses supposées erreurs passées*. Il vaudrait mieux qu'elle regarde clairement pourquoi elle les voit comme des erreurs ; analyser pourquoi et comment elle a pris ces décisions et, de façon plus importante, quels étaient ses actions et ses sentiments au moment de ses décisions, serait certainement beaucoup plus profitable. Nous apprenons beaucoup de nos erreurs, seulement en les acceptant d'abord, en les analysant, en ayant confiance en soi si nous décidons de poser d'autres gestes. Nous apprenons beaucoup plus en reconnaissant et en acceptant nos succès.

Au lieu de se concentrer seulement sur ce qui ne lui a pas profité, Suzanne pourrait facilement résoudre sa crise en cherchant dans ses souvenirs les plus positifs ; en découvrant dans son passé les choses qui lui ont donné de la satisfaction. Comme mère, par exemple, elle possède la connaissance la plus intime de l'évolution humaine — elle a aidé ses propres enfants à grandir. Cette expérience parentale lui a donné une dimension unique. Rien au monde ne peut nous offrir un champ similaire d'observation. Il peut exister de nombreux aspects dans ses relations avec ses enfants qui pourraient lui être utiles dans sa présente situation. Voilà donc ce qu'elle devrait rechercher dans son passé — les informations, les nutriments, qui pourraient l'aider maintenant. D'autant plus qu'elle a sans doute appris beaucoup plus comme épouse et comme mère qu'elle ne le croit. Malheureusement, notre société n'accorde guère une large dimension à la femme au foyer. Mais ces statuts ne sont qu'une fausse estimation des capacités et des ressources que chaque femme d'intérieur doit porter dans ce rôle, si elle le conduit avec succès. Compétence, diligence, patience et innovation sont bien les attributs les plus précieux d'une mère. Voilà donc autant d'éléments qui devraient permettre à Suzanne de résoudre sa crise.

D'ailleurs, de ne se concentrer que sur ses supposées erreurs du passé ne fait que mélanger ensemble le bon et le mauvais. Lorsque nous dévaluons ce que nous avons appris et expérimenté, et lorsque nous ignorons les voies par lesquelles nous avons évolué, nous négligeons en effet les très bons outils avec lesquels nous pourrions construire notre stratégie de vie en vue de notre *changement de vitesse*.

De son côté, Pierre ne gagne rien en se torturant à cause de cet emploi qu'il n'a pas accepté trois ans plus tôt. En général, lorsque nous repoussons une offre, c'est généralement pour deux raisons : 1) nous pensons qu'il y a plus de risque que de potentiel a en retirer. 2) nous ne sommes pas prêts à franchir cette étape — Pierre avait écarté cette offre d'emploi de ce manufacturier parce qu'il avait pensé que c'était trop risqué. Il pouvait avoir raison. Aussi, il n'y a aucun élément qui devrait lui donner du remord. Suzanne pense maintenant qu'elle serait certainement beaucoup plus heureuse si elle avait terminé ses études et embrassé une carrière de n'importe quelle sorte. Mais il était beaucoup plus difficile pour une femme d'avoir une carrière vingt ans plus tôt qu'aujourd'hui. En fait, lorsqu'elle a quitté le collège, Suzanne n'était pas tout à fait certaine de ce qu'elle voulait faire dans la vie. Pour beaucoup de ses amies, se marier et avoir un foyer était un objectif majeur. Si elle n'avait pas épousé Jacques, beaucoup de ses amies lui aurait certainement dit qu'elle était folle. Vingt ans plus tôt, Suzanne n'était probablement pas prête à suivre une voie indépendante. Maintenant, elle l'est. Et le climat actuel lui offre de nombreuses opportunités de se construire une nouvelle vie. Les femmes, maintenant, participent activement à l'essor de notre société, entamant de nouvelles carrières à quarante et même à cinquante ans, ouvrant les portes qui leur étaient jadis fermées.

Lorsque nous sommes en état de crise il n'est pas bon de regarder en arrière et de pleurer sur des erreurs et du temps perdu. Changez de fréquence, d'appréciation. Vous avez besoin de toute votre énergie pour bâtir le futur. La journée que vous venez de finir n'est seulement que le début ; pour beaucoup d'entre nous, certaines heures de cette journée ont été plaisantes et d'autres ne l'ont pas été. Mais, plaisantes ou pas, cela fait quand même partie de votre passé et peut être utilisé pour votre futur. Ce qui est du passé est inaltérable ; seulement le présent et le futur peuvent être vécus. Concentrez-vous à *vivre maintenant pour maintenant*.

Nous pouvons changer une attitude mentale typiquement négative et adopter une attitude mentale positive qui nous permette de nous demaner : « Qu'ai-je appris de telle personne ou qu'ai-je retiré de telle expérience, quel est le potentiel qui peut être découvert et que je peux utiliser du passé face à cette crise, et en fonction de l'avenir ? » La vie de Suzanne avec son mari n'est pas perdue. C'est une ressource au moyen de laquelle elle peut développer une pleine conscience de sa situation présente, découvrant ainsi des réponses à sa crise. La question de Suzanne pourrait se formuler ainsi : « N'aurais-je pas besoin de quelque chose de plus que mon mari et ma famille pour me réaliser ? » Maintenant que son mari demande le divorce, elle pourrait se poser cette question. Cela lui ouvrirait de nouvelles voies de découvertes, tant vis-à-vis d'elle-même que vis-à-vis du monde qui l'entoure.

C'est le seul moyen de sortir d'une crise et d'évoluer. Non pas à la manière d'un bébé, en essayant de tout ramener à soi ; non pas à la manière d'un enfant qui imite ce que quelqu'un d'autre fait ; mais cette forme d'évolution qui implique un échange mutuel avec le monde environnant dans lequel vous apprenez en explorant similarités et différences. Une telle évolution intègre le passé au futur. Vous prenez dans votre passé ce qui est encore valable, vous apprenez de nouvelles choses tandis que vous *changez de vitesse*, évaluant, explorant et expérimentant ; et puis, en prenant une décision, vous prenez le pas et abandonnez certaines parts de votre passé qui ne vous servent à rien. Et à chaque fois que vous évoluez, plus vous avez de connaissances, plus ces connaissances peuvent vous aider à vous réaliser.

En état de crise, il peut vous sembler que votre structure de vie est un réseau compliqué de chambres aux fenêtres étroites. Architecte, vous avez dans cette étrange maison suffisamment de matériaux pour vous en reconstruire une autre selon un plan nouveau. Maintenant, utilisant ces matériaux vous êtes prêts à vous engager dans une nouvelle voie, vous pouvez construire le genre de maison, le genre de vie, qui satisferont vos besoins, vos espoirs et vos rêves. Les briques du passé ne sont pas perdues ; elles constituent le matériau de base de votre futur habitat. Reconstruire nécessite beaucoup d'efforts et de courage mais lorsque le terrain a été battu et que les fondations ont déjà été érigées, il n'y a rien de plus excitant au monde que de construire, à votre goût, la maison de vos rêves.

CHAPITRE VII

LE BUT, C'EST LA CIBLE

La crise d'Hélèna et d'Édouard

Minuit, le téléphone sonne. Le concierge de l'immeuble dans lequel la mère d'Édouard vit seule appelle pour leur demander de venir la chercher : la vieille dame de soixante-dix-neuf ans est sortie dans la rue en chemise de nuit et refuse de retourner à son appartement. Hélèna et Édouard, gens dans la quarantaine, vivent près de là. Deux ans plus tôt, à la mort du père d'Édouard, ils étaient allés chercher sa mère, Maria, en Floride, pour la conduire près d'eux à Pittsburgh. Au cours des derniers mois, ils s'étaient rendus compte que la vieille Maria devenait lentement sénile, et que toute sa vie se désorganisait peu à peu. Toujours pleine d'affection, mais *volage*, Maria était devenue beaucoup plus indépendante que jamais. Édouard et Hélèna avaient essayé mille et une chose afin de corriger cette situation qui, peut-être à cause de la personnalité de Maria, n'avait pas changé. Cet appel téléphonique du concierge précipita la crise. mais laissons-les nous raconter leur histoire : Édouard : « Que pouvions-nous faire ? Une décision devait être prise — devions-nous l'amener chez nous, ce que nous aurions aimé faire, ou devions-nous la mettre à l'hospice ? Elle n'était plus autonome. Elle perdait son argent, elle parlait aux étrangers dans la rue, elle se brûlait lorsqu'elle cuisinait, elle cherchait sans cesse les objets dans son appartement. Quelqu'un devait veiller sur elle vingt-quatre heures par jour. Nous ne pouvions guère engager une infirmière. Aussi, que faire ? Qui devait aller vivre avec elle ? Hélèna ou moi ? Notre fille Jeanne était au collège, et notre fils Jean, marié, avait sa propre vie. Depuis le départ des enfants, Hélèna occupait un emploi à temps partiel et allait même au collège afin de décrocher un diplôme. Elle avait abandonné ses études pour se marier. »

Hélèna : « Il me semble que finalement, nous n'avons pas pris la bonne décision. Nous aurions aimé l'avoir avec nous, où elle aurait été mieux. Dans une famille d'origine latine, il est presqu'impensable d'envoyer sa mère dans un asile — l'autre alternative. Ma famille résidait sur la côte ouest, Édouard était un enfant unique, et la plupart des amis de Maria étaient morts ou vivaient ailleurs au pays. Mais nous devions penser à toutes les implications que ça aurait pour nous. Édouard aimait bien Maria mais ils n'avaient jamais vécu ensemble. Elle avait toujours été une personne avec laquelle il est difficile de vivre. Elle se conduisait parfois de manière étrange et rendait Édouard fou. À long terme cela aurait certainement détruit Édouard. J'avais passé une grande partie de ma vie d'adulte à prendre soin d'Édouard et des enfants. Je n'avais aucun regret, nous avions eu une belle vie, mais alors je souhaitais faire autre chose de moi. »

Édouard : « Nous lui avions toujours donné cet amour qu'elle n'aurait pu guère trouver dans un hospice — mais pour combien de temps encore ? Vu à très long terme, nous aurions sans doute aimé avoir trois paniers dans lesquels mettre tous nos oeufs plutôt qu'un seul. Mais franchement chacun de nous réalisait que nous n'étions pas équipés, ni physiquement ni psychologiquement pour prendre soin d'une personne dans ces conditions comme nous aurions aimé le faire. D'un autre côté nous souhaitions également faire de notre mieux. Nous sommes allées voir les services sociaux, afin de tâcher de la placer dans une maison, pas loin de nous. Nous lui avons rendu visite, mais ce n'est pas la même chose. »

Hélèna : « Cette décision a sans doute été une des plus terribles de ma vie. Cela nous a coûté beaucoup. Je me sens parfois coupable. J'aimais beaucoup Maria et j'ai apprécié tout ce qu'elle a toujours fait pour moi dans le passé, mais je crois que j'en ai fait autant pour elle qu'elle en a fait pour moi. Sur ce point, je peux juste dire que mes besoins et ceux d'Édouard étaient également importants. Ce n'était pas sans doute la bonne réponse à ce problème, mais après avoir étudié la situation sous différents aspects, nous étions arrivés à la conclusion que la voie que nous avions choisie était moins destructive que les autres. »

Hélèna et Édouard ont maintenat vécu leur décision depuis de nombreuses années. Quelquefois cela leur a fait de la peine ; ils se sentaient coupables. Par contre ils ont toujours été très conscients que, selon les circonstances, cette décison était la seule valable, une décision vraiment nécessaire. Aucune décision de cette nature n'est facile à prendre pour chacun de nous. À cahque fois que nous faisons un pas en avant, à chaque fois que nous prenons une décision importante, cela nous coûte. D'un autre côté, si nous n'allons pas de l'avant, si nous refuson de faire face à la vie, nous vivons comme des morts, nous cessons d'évoluer.

Notre crise de culture, dans laquelle la plupart de nos changements sont dictés par nos valeurs, nos relations et notre structure familiale, a créé de nouveaux problèmes pour chacun de nous. Cinquante ans plus tôt, Hélèna et Édouard n'auraient sans doute pas eu à faire face à un tel problème. Lorsque, jadis, chacun avait de nombreux amis qui vivaient géographiquement proches, des solutions auraient sûrement pu être trouvées. Et les membres de la famille auraient facilement pu partager le problème des personnes âgées. Mais aujourd'hui chaque membre de la famille a sa propre liberté de mouvement et son propre développement. Dans notre société mobile et urbaine d'aujourd'hui, avec ses familles plus petites, vivant dans de petits appartements et isolées du reste de la famille, les solutions traditionnelles sont souvent impossibles, tout comme il nous est beaucoup plus difficile de prendre une décision.

Nous avons à résoudre quelques unes des crises que notre société contemporaine nous force à vivre ; nous devons rapidement apprendre à nous placer en plein centre de ces crises, à faire face aux situations et à voir les choses assez clairement pour prendre une décision.

Ce genre de décision affectera invariablement les autres. Si nous nous jetons en pleine crise, et accordons toute notre attention au problème et si nous acceptons la responsabilité qui nous incombe, il se peut que nos décisions affectent les autres de façon positive. Telle fut la découverte d'Édouard : « nous avons dû en arriver à l'évidence et réaliser que, malgré notre sentiment de culpabilité, ce que nous avons fait pour Maria était certainement ce qu'il y avait de mieux à faire. Ses besoins réels, dans sa condition, dépendaient davantage de professionnels de la santé. Et, en fait, depuis qu'elle a été placée là, son état s'est considérablement amélioré et elle me reconnaît lorsque je lui rends occasionnellement visite. »

Hélèna ajoute : « A bien regarder les choses, nous sommes maintenant certains que si nous avions gardé Maria chez nous, c'eut été un désastre. »

Beaucoup d'entre nous, à l'inverse d'Hélèna et Édouard, n'auraient pas accepté la responsabilité de leurs actes. Beaucoup font ou ne font pas certaines choses à cause d'un complexe de culpabilité ou de la désapprobation d'autrui. Généralement, nous *habitons* la périphérie d'évènements, attendant un peu que les influences externes nous aident à prendre une décision.

C'est seulement lorsque nous commençons à bien nous connaître que nous sommes capables d'aimer les autres en toute vérité. Tant que nous ne connaisssons pas nos propres besoins, nous ne pouvons pas juger ou évaluer les besoins des personnes qui nous sont proches. Si nous perdons ce sens de soi-même nous pouvons également perdre notre habileté à bien comprendre les autres. Lorsqu'un individu abandonne un emploi qui lui causait certains conflits, même s'il pense que son nouvel emploi sera moins payant, et qu'à cause de cela il pourrait avoir quelques problèmes financiers, il s'avère quand même être un bon mari et un bon père en remplaçant à l'égard des siens cet argent par beaucoup plus d'amour. D'ailleurs le fait de se concentrer sur soi-même n'a rien à voir avec l'égocentrisme pris dans son sens ancien ; c'est un moyen de trouver son *centre stable* à partir duquel nous pouvons librement et ouvertement donner aux autres le meilleur de soi-même. La plupart des choix que nous avons à faire lorsque nous sommes en pleine crise de culture se résume souvent à des choix qui nous rendent malheureux et nous donnent peu de satisfaction ; très souvent une décision ne semble pas être la meilleure pour chacun.

La situation dans laquelle Édouard et Hélèna se trouvaient démontre bien l'utilisation qu'ils ont faite de leur égocentrisme face à cette crise. Une autre utilisation de l'égocentrisme est d'augmenter notre prise de cons-cience lors de la première étape de *changement de vitesse*. Suzanne, que nous avons rencontrée dans le chapitre précédent, aura à découvrir quelques nouvelles directions dans sa propre vie maintenant que son mari a décidé de divorcer. Pour le faire, elle devra d'abord con-centrer ses efforts sur elle-même. Elle devra se concen-trer sur ses besoins et ses désirs, à partir desquels sa vie future s'érigera.

Comme de nombreux adultes, Suzanne a sans doute eu de grandes décisions à prendre dans sa vie, ap-prenant et vivant au jour le jour. Au lieu de perdre du temps en remords inutiles, elle devrait commencer à mieux se connaître afin de trouver un équilibre intérieur susceptible de la guider davantage vers son dévelop-pement.

Concentrez-vous sur vous-même !

La vie de chaque personne est importante, mais nous ne pouvons pas voir cette importance dans sa vraie lumière tant que nous ne pouvons apprendre à nous reconnaître soi-même comme le centre de notre vie. Nous ne pouvons guère avoir une grande idée de la valeur des autres si nous ne sommes même pas capables d'avoir une idée approximative de notre propre valeur. Se concentrer sur notre *individuum* nous donne de solides bases qui peuvent nous permettre de résoudre nos crises et nos problèmes.

Se concentrer, c'est le meilleur moyen de devenir conscients de ce que vous voulons réellement, de ce que nous ressentons réellement, de ce dont nous avons réellement besoin. C'est par ce moyen que vous arriverez à savoir l'essentiel de vous-mêmes — *votre sens* qui vous donnera une impression d'équilibre tout au long de votre vie. Vous découvrir ainsi vous donne le sen-timent de votre place exacte dans la vie, tout en ajoutant de la confiance en vous-mêmes. Un individu qui a récemment quitté une grande corporation pour laquelle il travaillait et qui a décidé de travailler à son compte nous dit : « Depuis que je sais ce que je vaux et que j'ai laissé derrière moi les anciennes angoisses et les anciennes contraintes qui découlaient des besoins de ceux qui me commandaient, je suis heureux. On peut voyager à travers sa vie sans être obligé de se servir des anciens préjugés qui nous donnaient la vague impression *d'être à sa place*. Je suis à ma place avec moi-même parce que *j'habite chez nous avec moi-même.* »

Pour utiliser un petit exemple : être bien équilibré, c'est comme conduire une bicyclette. L'impression de connaître votre sens de gravité et de vous sentir sûr de vous est exactement la même chose. Maintenant, conduire une bicyclette ne vous pose aucun problème ; quoiqu'il en soit, n'importe qui peut le faire. Il n'en était pas de même avant que vous viviez cette expérience de l'équilibre. C'est la même chose dans la vie ; personne ne peut le faire pour vous ; vous devez découvrir ce point d'équilibre qui est en vous. Une fois que vous l'aurez découvert, vous ne l'oublierez jamais et vous conduirez votre vie comme on conduit une bicyclette.

Trouver son centre d'équilibre implique de considérer trois principaux aspects de soi-même. Le premier de ceux-ci est cette part de soi-même qui répond au monde extérieur par des sentiments et des émotions. Ce que nous sommes, comment nous agissons et quelle sorte d'impulsions dirige nos actes ? Nous connaître est la première étape qui nous conduira à modifier quelque chose en fonction de ce que nous aimerions être.

Un autre aspect est de se pencher sur cette partie de soi-même qui n'est pas consciemment organisée. Il s'agit de ce réservoir psychique duquel nous tirons toute notre créativité : notre mémoire, nos sentiments, nos rêves, nos fantaisies. Tout ceci constitue la matière première de notre personalité. Si nous pouvions inventorier et connaître l'ensemble de cette matière première, il ne fait aucun doute qu'elle serait utilisée à une plus grande créativité individuelle, mais encore comme un moyen de simplifier davantage nos rapports avec les autres comme avec le monde qui nous entoure.

Le troisième aspect de soi-même est la volonté. Ceci est la force de laquelle dérive toute notre énergie. Cette forme de volonté ne doit pas être confondue avec l'entêtement. Beaucoup d'entre nous ne reconnaissent toute la force de la volonté que lorsqu'ils se trouvent dans une situation presque *de vie ou de mort*, alors qu'ils doivent agir instantanément. Un peu comme dans le cas d'une personne à l'article de la mort qui développe cependant une forte volonté de vivre. Chacun de nous a de la volonté mais nous devons constamment la réaffirmer, la renouveler, et choisir librement la manière avec laquelle nous souhaitons conduire notre vie et notre développement personnel. Aussi il est important que nous la trouvions rapidement en cas de crise. Le psychologue Arietti soutient qu'un individu ne peut s'épanouir que s'il est en pleine possession de sa volonté et que s'il en est pleinement conscient.

Lorsque nous devenons pleinement conscients de nos aspirations, de nos ressources intérieures et de notre volonté, nous pouvons non seulement évoluer au travers d'une crise et découvrir les buts réels de la vie, mais nous pouvons aussi accomplir des choses que nous souhaitions accomplir depuis longtemps. Ray Bradbury, cet écrivain de science-fiction, disait un jour : « je peux dire que le jour où j'ai appris à contrôler mes passions, mes émotions, mes colères, mes haines, mon amour, mes besoins les plus urgents, c'est là que j'ai commencé à écrire de beaux livres. »

Il existe de nombreuses techniques qui peuvent nous aider à apprendre à découvrir cet équilibre. Mais avant de les passer en revue, revenons un moment au cas d'Édouard et de Hélèna. Ils ont été capables de résoudre cette crise née du cas de la mère d'Édouard avec une certaine confiance en leur décision parce que l'un et l'autre avaient évolué dans leur point de vue. Au cours de ces dernières années, tous les deux ont *changé de vitesse* : Édouard a abandonné un emploi pour lequel il était bien payé afin d'aller enseigner les mathématiques et Hélèna, de femme d'intérieur et de mère qu'elle était, est retournée à l'université où elle espère décrocher un diplôme en psychologie infantile. Tous les deux ont appris à identifier leurs besoins nés de nouveaux désirs de réalisation — Édouard parce qu'il avait réalisé que le stress et la compétition lui donnaient peu de satisfaction et Hélèna parce qu'elle avait besoin de nouveaux buts dans sa vie tout en réclamant une affirmation d'elle-même en tant qu'individu.

Trouver ainsi son équilibre peut, non seulement vous aider à découvrir une nouvelle voie dans votre vie, mais également vous mettre en confiance vis-à-vis de vous-même ou vis-à-vis de ces nouvelles routes que vous voulez emprunter. Julie, jeune professeur de collège, a découvert ceci, un été. « Je pense que vous pouvez dire que j'ai découvert que j'étais unique, dit-elle. J'ai accepté mes *plus* et mes *moins*, mais bons et mes mauvais côtés et j'ai appris à les apprécier. Pour la toute première fois de ma vie j'ai découvert que le bonheur dépendait de moi. Vous savez, chaque année j'étais inquiète au sujet de mon réengagement. Je me voyais en chômage si je n'étais pas réengagée. Aujourd'hui je m'en fiche d'être ou non réengagée à la rentrée des classes. Il existe d'autres choix dans la vie tout comme il existe d'autres collèges. Et même si je devais aller travailler dans une usine, je ne vois finalement pas ce que cela peut changer à mon bonheur. » Évidemment une telle attitude peut varier d'un individu à l'autre ; les suggestions qui vont suivre peuvent vous aider à découvrir votre propre voie.

Quelques techniques

Arriver à atteindre son point d'équilibre est quelque chose que nous sommes presque obligés de faire seul, par soi-même. D'ailleurs, être seul dans une telle aventure permet d'entrer en contact avec les sphères les plus profondes de soi. Aussi longtemps que nous sommes poussés ou tirés par des forces extérieures, nous ne pouvons devenir le centre de rien excepté de ses demandes, de ses obligations. Nous avons besoin de temps afin de nous dégager de ce monde extérieur et d'entrer tranquillement en soi, de réévaluer nos pensées et de nous poser nos propres questions. Toutes les techniques suivantes peuvent nous montrer comment utiliser cette *solitude* afin de découvrir nos vrais centre d'intérêt.

1) N'ayez pas peur de perdre du temps. Chacun de nous prend un temps fou pour ne rien faire. Hors de toutes limites, perdre du temps est non seulement salutaire mais utile. Cette idée que perdre du temps est néfaste est une forme d'éthique puritaine. De toute façon nous perdons toujours du temps. Dans d'autres cultures — comme dans ces pays qui bordent la Méditerranée — une telle idée a de quoi faire rire les gens. Les gens de ces pays sont capables de perdre un peu de temps avec joie, sans se sentir coupables, et prendre plaisir à ces heures qu'ils passent à ne rien faire, rassemblés près d'une fontaine ou assis au soleil. Si vous vous sentez coupables quand vous ne faites rien de *constructif*, vous aurez beaucoup de difficultés à vous découvrir. Les gens qui ne sont pas capables de perdre de temps sans se sentir coupables risquent inévitablement de trouver chacune de leurs journées de plus en plus serrées, sans compter qu'ils voient leur problèmes de façon terre à terre.

2) Il peut être très productif de rêver les yeux ouverts. En rêvant les yeux ouverts vous innovez, vous imaginez. Il est certain que ces rêves ne sont pas nécessairement conformes à la réalité, mais ils peuvent vous donner une idée de ce que vous aimeriez faire dans la réalité. Ainsi que l'éminent psychologue Jérôme Singer l'a dit : « La possibilité de rêver en plein jour peut nécessairement aider les gens à devenir plus créateurs, plus flexibles dans la solution de problèmes et capables de voir les choses sur une longue portée. » Aussi pourquoi ne pas rêver les yeux ouverts afin d'en apprendre beaucoup plus sur soi-même ? Pouquoi ne pas réallumer ces belles petites bougies de notre jeunesse et nous ouvrir à ces jalons merveilleux qui agrémentaient nos journées d'enfance ?

Ce n'est seulement qu'un étape qui peut nous permettre d'atteindre un point à partir duquel nous pouvons alors nous concentrer davantage sur l'un de ces rêves. Le seul fait d'examiner consciemment un de ces rêves particuliers peut servir à nous placer plus près de désirs inconscients ou d'espoirs. À partir de là, nous pouvons commencer à diriger notre rêve, pas nécessairement à le suivre, mais à le pousser dans une direction afin de voir où il nous conduira. Dès l'instant où nous commençons à diriger certains de nos rêves nous faisons un pas dans une nouvelle voie. En nous concentrant et en dirigeant certains de nos rêves éveillés, non seulement nous nourissons certains espoirs mais nous commençons à utiliser certaines de nos ressources intérieures en plus de notre créativité et de notre volonté.

Apprendre à devenir maître de certains de ces rêves nous rend aptes à solutionner certains problèmes et peut augmenter notre motivation tout en nous procurant un plaisir *anticipé* quant à la découverte des solutions.

3) La clé consiste à contrôler certaines choses par rapport à soi-même. Il a déjà été dit que vous pouviez mieux connaître un homme par les questions qu'il pose que par les réponses qu'il donne. La réponse que nous donnons aujourd'hui, basée sur ce que nous possédons de mieux en fait d'informations ou d'autres conflits éclaireront la question d'un nouveau jour. Dans une même ordre d'idées, des réponses supposées finales et souvent sacrosaintes de la Science sont constamment dépassées à cause de nouvelles informations devenues disponibles. Pour l'homme, dont la vie n'est qu'un processus, son évolution et son changement apporteront inévitablement différentes réponses au cours de différentes phases de son évolution. Mais lorsqu'on atteint des réponses qui sont les meilleures possible pour nous à un moment donné de notre vie, rien ne nous empêche de nous poser les mêmes questions tandis que nous *changerons de vitesse* à trente, à quarante ou à soixante-dix ans.

Durant ces périodes de remise en question, de contrôle que nous faisons à l'égard de l'environnement, il faut tenir compte des *peut-être* et des *comment*. Essayez d'aller plus loin que votre jugement en éliminant les mots tels que *bon* et *mauvais* ou *possible* et *impossible* et essayez plutôt d'obtenir une réponse pure. Il existe des tas de moyens de se poser des questions essentielles. Une des meilleures approches a été présentée par John Stevens dans son excellent livre *Prise de Conscience*, duquel nous avons tiré quelques phrases-clés. Pour commencer, complétez les phrases : « Je veux... » et « J'ai besoin.. » Faites une longue liste des *je veux* et des *j'ai besoin*. Vous trouverez que cette liste est facile à réaliser. Ensuite examinez-la et examinez la liste des choses que vous vouliez. Pourrez-vous alors tout prendre comme des besoins ou alors commencerez-vous à réaliser la différence qui existe entre quelque chose dont vous avez réellement besoin, comme de l'air et de la nourriture, par opposition à d'autres choses qui sont douces ou plaisantes mais pas absolument nécessaires ? Pourrez-vous réellement survivre sans elles ? Puis, examinez la liste de vos besoins et comparez les deux listes à la fois. Lorsque nous commençons à voir la différence entre un besoin et une volonté, il se peut très bien que nos sentiments changent à l'égard des uns comme des autres. Nos besoins ont tendance à nous contrôler, à nous posséder, tandis que l'on peut contrôler et posséder sa volonté. Ainsi, lorsque nous avons un sens du choix et du contrôle, nous pouvons plus aisément aller de l'avant afin d'atteindre les buts de notre volonté.

Une autre paire de phrases à compléter est celle qui commence par : « J'ai à... » « Je choisis de... » Établissez votre liste pour chacune des deux phrases. Ensuite essayez donc de replacer les éléments de « j'ai à » par « je choisis de ». Ajoutez à côté les raisons pour lesquelles vous avez « choisi de ». Dès l'instant que nous prenons la responsabilité de nos choix, nous pouvons commencer à entrevoir de nouvelles possibilités d'actions déterminantes et de nouvelles raisons à notre comportement. Vous pouvez faire la même chose avec : « je ne peux pas... » et « je ne veux pas... » ou : « j'ai peur de... » et : « j'aurais aimé... »

Très souvent, en se posant de telles questions, nous découvrirons que de nombreuses choses que nous classons dans : « j'ai besoin », sont souvent des choses qui nous ont été soufflées par d'autres personnes, mais si nous sommes capables de découvrir nos vrais centres d'intérêt, en tant qu'individu, cela n'est plus pareil. Regardez à nouveau vos listes et demandez-vous : qui m'a dit que je voulais ceci ou que j'avais à faire cela ? Me le suis-je dit moi-même ou est-ce que quelqu'un d'autre me l'a dit ? » Établissez donc vos propres valeurs et vos propres réponses qui n'ont guère besoin d'être le produit de quelqu'un d'autre. Si vous ne les contrôlez pas, elles vous contrôleront.

Afin de commencer à devenir votre propre patron, et pour éviter que d'autres personnes ne deviennent vos maîtres, vous devez être capables de dire *oui* ou *non* parce que c'est la réponse que vous voulez donner et non pas parce que c'est la réponse qu'une autre personne attend de vous. C'est un exercice très révélateur que de réexaminer les situations dans lesquelles vous avez dit *oui* ou *non* alors que vous auriez voulu dire le contraire. Beaucoup d'entre nous trouvent très difficile le fait de dire *non*. Beaucoup de gens disent *oui* parce qu'ils ont l'impression qu'on les considèrera mieux ou qu'ils seront récompensés à cause de çà. Cette attitude est devenue tellement commune qu'elle a donné naissance, en anglais, à une expression : yesman. Voilà le genre d'individu que l'on retrouve chez les politiciens, les fonctionnaires, et même chez les gens du commun. D'autres personnes disent *oui* simplement parce que c'est plus facile ; elles ne veulent pas avoir de problèmes ; bien que cela ne les empêche pas de le regretter par la suite.

Pourquoi dites-vous *oui* quand vous aimeriez dire *non* ? Pourquoi dites-vous *non* quand vous aimeriez dire *oui* ? Pour vous aider à le comprendre, regardez donc de plus près une récente situation. Demandez-vous : « Qu'avait-il fait pour que je dise *oui* ? » Maintenant imaginez-vous en train de donner une réponse contraire dans une situation identique. Imaginez quelle aurait pu être la réponse de l'autre personne. Est-ce que c'est votre volonté qui a dominé ou celle de l'autre personne. Est-ce que c'est votre volonté qui a dominé ou celle de l'autre personne ? Dans cette situation là, avez-vous été maître de vous-même ou est-ce que l'autre personne était votre maître ?

Quand vous commencerez à vous prendre en main, vous commencerez alors à comprendre pourquoi vous répondez par un *oui* ou par un *non*, vous commencerez à être conscient de ce que vous êtes, et à découvrir votre propre valeur.

4) Parlez librement aux autres. Nous pouvons également découvrir notre point d'équilibre en parlant librement aux autres dans des moments de solitude tout en laissant le dialogue aller librement vers un examen de nos rages, de nos passions, tout comme de nos découvertes et de nos émerveillements. Souvent, cette libre parole peut nous aider à restaurer ou à réaffirmer notre confiance et notre foi en soi. Mais très souvent, elle amène une prise de conscience. Cela requiert, certes, beaucoup de courage. Ce sont pourtant de tels dialogues, finalement avec soi-même, qui nous font découvrir un sens nouveau à nos actes.

5) Découvrir nos sentiments en parlant d'eux. Pour cela il est nécessaire que vous ayez un interlocuteur en qui vous ayez entièrement confiance, capable d'écouter cette exploration à haute voix que vous faites de vous-même. La façon avec laquelle les gens vous écoutent et vous encouragent est d'une extrême importance. L'encouragement n'est pas nécessairement de vous questionner ou de vous approuver. L'attitude de votre interlocuteur peut être une attitude réceptive, attentionnée et qui n'a pas une apparence de jugement. Il n'est guère facile de trouver quelqu'un qui peut écouter sans colorer vos sentiments avec les siens ou sans établir des interprétations avant même que vous les ayiez faites.

Mais idéalement, la plupart de nos amis intimes sont capables de nous aider en ce sens.

Nous avons tous des sentiments à l'égard de nos expériences. Peut-être une réaction à l'ordre d'un patron, le ton d'une discussion que nous avons eue avec notre conjoint, le plaisir que nous pouvons éprouver à être avec quelqu'un, ou notre seule réaction d'avoir dit *non* à la fin alors que nous le voulions vraiment. La plupart des sentiments que nous avons de nos expériences sont indéfinis et vagues jusqu'à ce que nous puissions les tirer en pleine lumière de notre conscience et les exprimer. Par le seul fait de nous ouvrir à quelqu'un d'autre, nous pouvons éclairer certains points obscurs de notre compréhension. Dans ce processus de clarification, nous allons nécessairement vers de nouvelles compréhensions et de nouvelles découvertes de nos sentiments ainsi que de nous-même.

Point de vue et mise au point

La raison essentielle de nous concentrer sur nous-même est de nous connaître afin d'être plus près de nos sentiments et de notre potentiel, afin d'être davantage maître et de mieux diriger notre vie. Mais ce n'est pas assez. Nous devons aussi apprendre, comment photographier, à faire une mise au point sur quelque chose d'extérieur à soi. La raison d'un tel processus est d'établir des relations entre ce qui nous est intime et le monde extérieur, afin de créer des échanges entre ces deux éléments.

Il existe un fameux dessin qui est largement employé en psychologie et qui démontre l'importance d'une telle mise au point :

Si vous vous concentrez sur les deux côtés extérieurs de cette gravure, vous verrez deux profils humains qui se font face. La zone claire, dans le milieu, devient alors le fond. Mais si vous vous concentrez sur cette zone claire, les segments sombres deviennent le fond et vous verrez un vase à la place des deux profils. Il est donc apparent que, comme individu, nous pouvons choisir notre profondeur de champs. De la même façon, nous pouvons faire notre mise au point en rapport avec les objets, les situations, les idées ou des personnes.

Beaucoup de gens dans le monde d'aujourd'hui, vivant dans une culture qui se présente à eux avec un éventail d'options, essaient de se concentrer sur de nombreuses choses à la fois. Si vous essayez de vous concentrer simultanément sur le vase et sur les deux profils, vous vous apercevrez très vite que cela est impossible. Malheureusement, c'est ce que font beaucoup de gens dans leur vie. Ils hésitent entre plusieurs options, incapables de faire un choix entre une profondeur de champ et une autre, et finissent dans un état d'indécision et de frustration. De nombreuses situations, dans la vie, ne sont pas aussi claires que l'illustration du vase et des profils mais elles prêtent quand même moins à confusion une fois que nous avons décidé où et comment porter nos regards.

Pour faire une mise au point, nous devons concentrer toute notre attention sur une chose particulière, afin de clarifier notre relation avec elle. Lorsque nous concentrons toute notre attention sur un objet particulier, une personne, ou un problème, nous y mettons toute notre énergie, nous devenons complètement absorbés par lui, nous fermant même aux éléments extérieurs qui pourraient perturber notre concentration. Il est vrai que, dans le monde actuel, nous sommes environnés de stimuli et que nous devons faire face à tout cela à la fois.

Beaucoup d'entre nous se trouvent, de la sorte, confrontés à plus d'une crise à la fois. Nous sommes surchargés de décisions que nous devons prendre. C'est à ce stade là qu'une mise au point précise est importante. Aborder une crise à la fois — de toute façon elles sont liées les unes aux autres. Se concentrer sur cette crise, et n'axer ses efforts que sur ce problème, pour le moment. En essayant d'étudier tous vos problèmes à la fois vous risquez seulement de vous embourber. Mais si vous les séparez, les prenant un par un, une progression naturelle vous guidera et vous arriverez certainement au bout de votre ration.

Et, en plus de faire une mise au point en même temps que de rechercher votre centre d'équilibre — ce qui représente la clé d'un accomplissement productif — vous vous découvrirez des buts dans la vie.

Faire une mise au point dans son sens le plus large vous permet de vous impliquer intensément dans quelque chose et ce n'est pas plus différent que de le faire dans une seule perspective, pour un seul travail...

que de peindre un tableau ou de développer une nouvelle relation.

Lorsque vous accordez toute votre attention à un ensemble ou à une idée, cela réclame quand même toute votre attention, évaluant les similitudes et les différences par rapport à d'autres expériences et à d'autres sentiments que vous avez déjà eus, évaluant les voies par lesquelles vous pourriez apporter quelque chose de vous-même tout en étant ouvert à ce qui s'offre à vous. Telles sont les relations qui stimulent la plupart de nos actes. Et lorsque finalement vous choisissez un point de vue, tout entre dans l'ordre et vous découvrez, quelques fois avec surprise, que vous-même dans le cadre de cette mise au point que vous avez faite. Vous devenez passionnément défenseurs de ce nouveau point de vue dès que vous avez déployé l'effort d'en trouver toutes les relations et de vous engager pleinement dans ce point de vue. Comme quoi, définir votre point de vue peut vous aider à évoluer et à comprendre plus largement. Et c'est en vous concentrant sur vous-même que vous aurez pu faire votre choix.

Revenons au cas d'Édouard et d'Hélèna. Leur décision concernant la mère d'Édouard avait été établie sur la connaissance qu'ils avaient d'eux-mêmes. Édouard, dans son processus de concentration, avait découvert qu'il avait besoin de plus grandes satisfactions dans le cadre d'une vie moins lourde de responsabilités ; Hélèna avait découvert qu'elle avait besoin d'autres choses que son seul rôle de maitresse de maison. Mais ils ont fait beaucoup plus que de trouver un nouveau centre. Ils l'ont projeté dans une interaction avec le monde extérieur. Édouard a concentré ses efforts à changer de carrière et à se vouer à l'enseignement ; Hélèna l'a fait en reprenant ses études, en psychologie infantile.

Mais il n'est pas suffisant de découvrir ce centre d'intérêt. Si une personne se concentre trop sur elle-même, elle peut devenir égocentrique et capable de nourrir ce sens de soi-même seulement en manipulant les autres. L'égocentrique refuse généralement d'accepter la responsabilité de ses actes, et les rationnalise. Hélèna et Édouard ont accepté la responsabilité de leur décision. Ils étaient conscients d'eux-mêmes et de leurs inter-relations avec la vie. En devenant professeur, Édouard se consacrait à d'autres personnes. Et Hélèna étudiait dans l'espoir, également, de venir en aide à d'autres gens.

Donc, se concentrer dans un sens plus large, n'implique pas que nous devions devenir des missionnaires actifs en aidant d'autres personnes comme professeur, docteur ou travailleur social. Par exemple, dans les années passées, il y a eu un intérêt accru à l'égard des ouvriers, et des gens travaillant dans différentes manufactures. Ces travailleurs ont protesté de l'organisation déshumanisante de leur travail. Tout cela ne leur permettait effectivement aucune sorte de concentration, tant à l'égard de leur travail qu'à l'égard du reste de la société.

La roue de la conscience

La manière avec laquelle nous conjuguons ensemble nos points de vue extérieurs et intérieurs est d'une importance vitale — les reliant en un même tableau. Établir ces relations n'encourage pas seulement à l'évolution mais nous donne également un sens de sécurité. Si nous nous concentrons entièrement sur le monde extérieur, et les changements de ce monde, nous n'avons plus de retraite. Se concentrer seulement sur notre monde intérieur, sans référence avec la réalité du monde qui nous entoure, n'est guère mieux. C'est le *feedback* entre ces deux points de vue qui peut éclairer nos actes.

Ce système de *feedback* affecte nécessairement notre interaction de base avec le monde environnant. Nous pouvons explorer ce système de *feedback* de façon plus détaillée, considérant ce qui arrive à l'intérieur de soi-même en réponse au monde extérieur. À son niveau le plus simple, ce système est actif à tout moment, dans toutes les communications que nous pouvons avoir avec les autres gens. Si nous pouvons mieux comprendre comment fonctionnent les communications, minute par minute, nous sommes en meilleure position quand vient le moment de résoudre nos crises.

Nous avons développé un programme visant à améliorer les communications dans les relations humaines et, pour aider les couples, *une roue de conscience* a été établie. Son but premier était de démontrer comment et pourquoi nous répondons aux communications des autres personnes. Nous pensons qu'elle est également applicable à toutes nos réponses au monde extérieur. Le processus est le même que lorsque l'on vous demande : « pouvez-vous me passer le beurre s'il vous plaît ? » ou qu'on vous demande de divorcer. Le but de ce tableau d'évènements extérieurs est de vous aider à devenir conscients de ce qui se passe à l'intérieur de vous avant que vous y répondiez.

Si nous pouvons mieux comprendre ce qui se passe en nous et devenir pleinement conscients que nous sommes au centre de nos réponses, nous comprendrons mieux alors comment changer.

Dans le sens des aiguilles d'une montre, depuis le haut de la roue, nous pouvons expliquer chacune de ces étapes de la manière suivante :

1) sens : toute information nous arrive par un ou plusieurs de nos sens : la vue, le toucher, l'ouïe, le goût, l'odorat. pour plus de facilité, tous les sens ont été représentés sous cette roue par le mot *je vois*. Nous

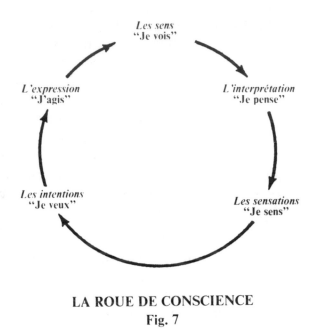

LA ROUE DE CONSCIENCE
Fig. 7

voyons notre enfant traverser la rue au moment où une voiture arrive. Ou bien nous entendons notre mari nous appeler de la pièce voisine.

2) interprétation : les données ou informations des choses que nous avons reçues du monde extérieur, sont alors interprétées. Notre interprétation peut prendre la forme d'impression, d'intuition ou de conclusion. Quelquefois, l'interprétation peut être très directe, très claire, comme lorsque notre enfant traverse la rue devant une voiture : nous savons immédiatement qu'il y a un danger. D'un autre côté, si notre mari nous appelle, nous pouvons interpréter ses paroles comme un ordre, un appel, une requête ou une exclamation du surprise, dépendant du ton de la voix en cette circonstance. Mais notre interprétation ne peut pas être basée sur le ton de la voix dans une circonstance dépendant de notre propre humeur. Si nous sommes de mauvaise humeur, nous

pouvons entendre la voix de notre mari et l'interpréter comme un ordre alors que lui-même s'exprime sur un ton de plaisir. Dans ce type d'interprétation, nous mélangeons nos sentiments présents et passés, nos expériences et nos perceptions. Nous pouvons les interpréter correctement ou incorrectement. Beaucoup de malentendus en communication dépendent de notre interprétation.

3) Sensation : nous connaissons nos sensations dès que nous avons fait une interprétation. Ceci, encore, est relié à nos expériences passées. Fréquemment, bien sûr, nous pouvons réprimer nos vrais sentiments. Nous avons été habitués, à travers notre socialisation, les suggestions et les pressions, à rejeter nos vraies sensations en général. Quelquefois, nous réprimons nos mauvaises sensations, notre colère, lorsque nous sommes bousculés dans la foule. D'autres fois, nous réprimons de bons sentiments de joie, d'excitation et d'affection ; les Américains par exemple, répriment facilement leurs sentiments d'affection.

4) intentions : basées sur notre conscience, nous avons des intentions. Une fois que notre enfant a traversé la rue, nous voyons, nous interprétons et nous ressentons : l'intention suit immédiatement. Nous voulons le sauver du danger. Lorsque nous entendons notre mari nous appeler, notre intention est de répondre verbalement et de nous diriger dans l'autre pièce ou alors d'ignorer cet appel. Cela dépend beaucoup de ce que nous étions en train de faire.

5) expression : puisque notre intention avait été d'agir, nous passons immédiatement aux actes afin d'écarter l'enfant du danger. En réponse à l'appel du mari, il existe un grand nombre d'actions possible, en fait ; nous allons faire des choix : beaucoup de ces choix sont faits inconsciemment, en communication ordinaire. Lorsque nous sommes en crise, il est très important d'être con-

scients de ce qui peut arriver, de ce qui peut nous arriver durant ces étapes décrites dans cette figure.

Reconnaître et prendre conscience de ces étapes peut nous permettre de voir plus clairement comment les choses se passent. Par exemple, lorsqu'on vous appelle de la pièce voisine, vous pouvez choisir de vous concentrer ou pas sur ce stimulus externe. Si vous ne vous concentrez pas sur le ton de la voix de votre mari, vous pouvez mal interpréter ses intentions. Cette mauvaise interprétation peut vous conduire à une éventuelle dispute avec lui parce que vous l'avez mal compris. D'un autre côté, si vous ne faites pas attention à lui parce que vous êtes occupées à la cuisine à sortir une dinde du four, c'est une autre histoire. Ce que vous faites à ce moment réclame toute votre attention ; il est à peu près certain que lorsqu'il saura pourquoi vous ne lui avez pas répondu, il comprendra. Vous avez entendu sa voix, mais ça n'a pris qu'un instant pour que vous sachiez si vous deviez ou non répondre.

Si vous répondez, il est alors important de vous concentrer sur le ton de sa voix. En état de crise, l'importance de comprendre cette interaction, entre la concentration et la recherche d'équilibre, est conduite à un très haut degré. Si nous refusons de faire face à notre crise, de nous concentrer suffisamment sur elle afin de devenir entièrement conscients de son ampleur, nous ne ferons que la prolonger. C'est à peu près la même chose qui se passe lorsque nous ne répondons pas à une personne qui nous appelle de la pièce voisine.

Après nous être suffisamment concentrés sur la crise et en être devenus conscients, nous devons commencer à l'interpréter. Cette étape d'interprétation, d'après notre *roue de conscience*, correspond à l'étape d'évaluation et d'exploration dans le processus du *changement de vitesse*. Afin d'interpréter cette crise correctement, nous devons nous concentrer sur nous-mêmes, nous demander exactement ce que nous voulons, ce que nous ressentons et comment nous pouvons agir dans un sens nouveau qui nous aidera à résoudre cette crise. Mais, tandis qu'en communication ordinaire nous pouvons rapidement évoluer, presqu'instantanément, en état de crise il se peut qu'il soit nécesssaire de nous concentrer plusieurs fois, au fur et à mesure que nous progressons, d'une étape à l'autre, sur notre *roue de conscience*.

Lorsque nous devons faire face à des changements ou à des défis, il arrive fréquemment que nous ignorions ou que nous n'écoutions pas nos réponses intérieures. Pourtant nous pouvons nous arrêter et examiner nos réactions à n'importe quel point de ce schéma et, pour la première fois peut-être, en faire des actions intentionnelles. Si nous devons faire face à des changements ou à une quelconque évolution, nous devons commencer par penser et par savoir pourquoi nous agirons et comment. En général c'est la personne la plus ouverte qui est capable de faire face à elle-même en période de changements profonds. Les changements personnels n'interviennent que par une franche confrontation avec la réalité.

Lorsque nos sentiments, nos ressources intérieures et notre volonté sont explorés et utilisés les uns avec les autres, voilà un bel ensemble. La force synergétique qui en résulte nous conduit à une harmonie totale, tant en nous-mêmes qu'avec le monde environnant.

CHAPITRE VIII

"FAIRE" ses décisions

Les priorités

Steve avait environ quarante ans. Vingt ans auparavant, frais émoulu d'une école de commerce, il était entré au service de son beau-père qui dirigeait une manufacture de vêtements. Il avait envisagé de travailler pour son beau père pendant cinq ans, d'acquérir une solide expérience et, ensuite, de se lancer à son compte. Mais avant la fin de ces cinq années, l'associé de son beau-père mourut. Tandis que son beau-père était plutôt le créateur de l'entreprise, cet associé était l'homme auquel les tâches d'ordre financier étaient le plus souvent dévolues. Il était clair que cette entreprise devait poursuivre ses opérations et qu'un nouvel administrateur financier devait être trouvé. Quoiqu'il en fut, Steve accepta cette responsabilité. La compagnie continua à prospérer mais, plus le temps passa, plus Steve prit conscience d'avoir envie de faire quelque chose de différent dans la vie. Lorsque son beau-père mourut à soixante-dix ans, Steve décida qu'il était temps d'accomplir ce changement qu'il voulait faire.

Steve avait toujours eu un goût particulier pour une vie académique — son grand-père avait été principal d'un collège et de nombreux oncles et tantes avaient été professeurs, tous dans des collèges ou des universités. Il sembla à Steve que l'expérience qu'il avait des affaires pourrait admirablement l'aider à obtenir un poste de trésorier dans une école privée ou un collège, où, avec de la chance, il pourrait également enseigner.

À ce tournant de sa vie, Steve commença à évoluer dans une nouvelle voie. En termes très concrets, il savait parfaitement ce qu'il voulait. Même si dans cette nouvelle carrière il gagnerait beaucoup moins d'argent. L'argent n'était pas, pour lui, une priorité. Sa priorité était de trouver un emploi qui le satisferait davantage, surtout, dans un domaine différent. Mais d'un autre côté, il devait considérer sa famille. Il avait deux grands enfants. Ce qui était prioritaire pour eux était l'éducation qu'ils pourraient recevoir afin d'être le mieux armés possible dans leur vie. À cette époque, la famille vivait dans une ville du Connecticut qui possédait un collège de premier ordre, un des meilleurs de la région. Steve savait que sa nouvelle carrière possible pourrait le conduire dans un ville où il ne trouverait pas un contexte éducationnel comparable.

Il devait également considérer l'opinion de sa femme, Janice. Depuis quinze ans, ils avaient vécu dans la même maison. La maison elle-même était extrêmement confortable et attrayante mais, ce qui intéressait beaucoup plus Janice que la maison, c'était son jardin. Sur leurs deux acres de terre, Janice avait amoureusement créé un petit paradis botanique prenant soin d'arbres et de fleurs venant du monde entier. Elle avait un jardin de roses, un jardin japonais, des fraises, des framboises. Les travaux de Janice avaient plusieurs fois parus dans des magazines et Steve savait bien à quel point elle tenait à ce jardin.

Sachant bien qu'un déménagement modifierait les priorités de ses enfants et de Janice, Steve évita de changer quoi que ce soit à sa vie. D'autant plus qu'il avait consacré vingt ans de sa vie à orchestrer son existence en fonction des priorités de ses enfants, de Janice et de son père.

À la fin, il décida de s'en ouvrir directement à sa famille. D'abord il parla à Janice, puis à ses enfants. Si son nouvel emploi était dans un État voisin, expliqua-t-il à ses enfants, ils pourraient continuer à suivre leurs études ici et, chaque fin de semaine, venir les voirs. « Je leur ai dit que je ne savais pas trop ce que j'allais faire comme travail. Mais je souhaitais qu'ils réalisent deux choses. 1- j'avais longuement pris soin de leur bonheur et de leurs besoins. 2- je devais aussi m'occuper un peu de moi-même. Je leur ai dit que j'avais fait tout mon possible en ce qui les concernait tout en laissant de côté mes propres désirs, etc... »

Il fut extrêmement surpris par les réactions de sa famille. Pour commencer, Janice lui dit que malgré tout le temps et la passion qu'elle avait investis dans son jardin, elle voulait partir avec lui, n'importe où. En dehors du fait qu'elle voulait partir avec lui, il y avait pour elle le défi de créer un autre jardin ailleurs qui l'attirait. La seule clause qu'elle avança à ce contrat moral fut que la maison ne serait pas vendue à quelqu'un qui ne s'occuperait pas de ce jardin. Quant aux enfants, ils répondirent simplement que depuis un an ou deux, ils éprouvaient le profond désir de faire quelque chose d'autre, d'autant plus qu'ils avaient remarqué qu'il n'était plus particulièrement heureux.

Voilà une histoire vraie qui a eu un dénouement heureux, d'autant plus que Steve se trouva un poste dans un collège qui n'était qu'à trente kilomètres de là.

Le fait que cette histoire soit vraie n'a aucune importance. Ce qui est important c'est que d'heureux dénouements peuvent survenir. Lorsque vos besoins sont authentiques, et lorsque vous êtes une personne consciente des besoins d'autrui et de leurs priorités, les gens de votre entourage semblent beaucoup plus disposés à vous comprendre et à vous aider.

En prenant une décision majeure qui peut également affecter autrui, la plupart des gens découvriront que leur schéma de pensée entrera dans une des quatre catégories suivantes :

1) les personnes qui connaissent leurs propres besoins et priorités et qui sont également conscientes des besoins et des priorités des autres.

2) les personnes qui connaissent leurs propres besoins et priorités mais dont la première chose importante est d'en recevoir une approbation des autres.

3) les personnes qui ne sont pas tout à fait certaines de leurs besoins ou de leurs priorités et qui observent les autres, attendant d'eux une réponse.

4) les personnes qui ont leurs propres besoins et qui, simplement, ne s'occupent pas des besoins et priorités des autres.

Le premier type de personne agira en fonction de ses propres besoins, mais avec maturité, tâchant d'exposer aussi clairement que possible la raison de ses actes à son entourage, et agissant de manière à protéger les besoins des autres. Steve fait partie de cette première catégorie.

Le second type prendra une décision dans laquelle ses besoins passeront en second plan, après avoir reçu une approbation de son entourage. Il essaiera d'abord de découvrir ce que les autres veulent et il tentera de marier ses besoins à ceux des autres. Cette façon d'agir est fructueuse à court terme, mais cet individu, à un moment donné, se retrouvera à son point de départ : ses propres besoins n'auront pas été satisfaits. De telles personnes, peut-être parce qu'elles n'ont pas la volonté de prendre le risque d'une décision définitive, se créent souvent une crise de plus et ont l'air d'être assises entre deux chaises. Elles ne réussiront jamais à donner libre cours à tous leur potentiel avant qu'elles ne puissent complètement *changer de vitesse* et accepter leurs responsabilités.

Le troisième type est peu certain de ses propres besoins. Il ne prend jamais ses propres décisions. Il est facilement manipulé par les autres, toujours prêt à se conformer aux valeurs et aux priorités d'autrui. Il ne se sent jamais entièrement en sécurité puisqu'il a placé les besoins de son existence entre les mains d'autres personnes. Et même s'il a la charge de sa propre destinée, il sera toujours à la merci d'une mutation puisque cette mutation sera toujours fonction des besoins des gens qui l'entourent.

Le quatrième type est le plus dangereux. Il ne s'intéresse absolument pas à ce qui peut arriver aux autres, tant et aussi longtemps qu'il n'a pas obtenu ce qu'il désire. Parce qu'il ne tient nullement compte des besoins ou des désirs des autres, il ne peut être capable de prendre des décisions ; et s'il en prend, ses décisions sont souvent destructrices. Il manipule les autres à ses propres fins, en faisant des victimes. Il rationalise ses actes tout en se donnant l'impression qu'il aide autrui. Il sait toujours ce qui convient le mieux à chacun — c'est ce qui lui convient le mieux, à lui.

Tous autant que nous sommes, nous entrons dans une de ces quatre catégories à un moment ou à un autre. Il y a des moments où il peut être nécessaire de dire au monde entier *d'aller se faire cuire un oeuf*. Malheureusement de telles personnes ont tendance à trouver leur voie par la force, précisément parce qu'elles prennent des décisions qui sont toujours sans pitié. Pourtant, la plupart d'entre nous sommes appelés à errer dans la direction contraire. Ne connaissant pas nos propres priorités, nous tombons sur les bras de la volonté d'autrui, quêtant d'eux une approbation ; nous faisons ainsi ce que les autres veulent, même si nous sommes parfaitement conscients de nos propres besoins.

Mais si nous ne pouvons pas aspirer à découvrir la réponse la plus mature — agir en fonction de nos propres besoins et priorités tout en tenant compte de ceux des autres — nous pouvons toujours aspirer à agir en fonction du meilleur de soi-même. Nous connaissons des gens qui ont réussi à faire de grandes choses avec une habileté beaucoup plus limitée que celle de certains qui possédaient de merveilleux talents — et la différence entre eux n'est qu'un niveau d'aspiration et de désirs qu'ils ont investi dans ce qu'ils faisaient. Le vrai génie de l'être humain est son habileté à dépasser ses limites.

Des techniques de définition des priorités

Ce livre, dans son ensemble, veut nous faire comprendre nos priorités individuelles en relation avec ce monde en perpétuel changement dans lequel nous vivons. La plupart des sujets que nous avons abordés dans les chapitres précédents ont un lien direct avec cette idée principale d'établir nos priorités. Comprendre comment le mythe de la maturité nous affecte, savoir qu'à différentes étapes de notre vie d'adulte, nous éprouvons des besoins différents, apprendre comment se libérer de l'idée que notre passé est *perdu* — ou tant de concepts qui s'intègrent dans la recherche de nos priorités.

Nous avons auparavant abordé quelques techniques spécifiques que vous pouvez utiliser. Dans le chapitre *IV,* nous avons abordé les utilisations possibles des techniques d'organisation du temps, (Allan Lakein), en découvrant lesquelles de nos obligations présentes doivent être écartées afin de faire place à nos nouveaux besoins. Dans son livre *How to get control of your time and life,* Lakein suggère de diviser les éléments de notre vie en trois listes : A, B, C, dépendant de l'importance que nous accordons à certaines choses. N'importe quel élément placé dans la liste A devrait être soustrait s'il semble entrer en conflit avec une autre priorité de la liste A. Si cet élément n'est pas assez important pour rester dans la liste A, otez-le car il ne pourrait que vous nuire. Le fait qu'il entre en conflit est déjà une indication que vous êtes au début de votre processus de *changement de vitesse ;* vos anciens besoins reflètent un statu quo tandis que vos nouveaux besoins représentent le futur et la marque de votre évolution.

Le Dr Sidney Simon a trouvé une autre méthode : elle consiste à établir une liste de vos principales priorités, et d'en soustraire cinq sans lesquelles vous pourriez quand même vivre ; finalement d'en soustraire deux autres qui ne sont pas si importantes qu'elles pourraient vous retenir dans cette évolution, c'est-à-dire dont vous pourriez vous passer en cas d'urgence.

De toute façon, quelle que soit la méthode que vous emploierez, nous ne vous inciterons jamais assez à prendre un papier et un crayon et à vous établir des listes de vos priorités. Le seul fait de les voir écrites est un bon moyen de les voir se concrétiser, d'autant plus que vous les verrez beaucoup plus clairement. Dépendant de la nature des problèmes auxquels vous faites face, une telle liste peut vous aider à trouver des relations entre vos projets et ceux de votre mari, de votre épouse, ou de d'autres personnes qui vous touchent de près. Si une personne sait ce que vous faites depuis le début, elle sera consciente de l'importance qu'elle a à vos yeux, de la place qu'elle occupe dans votre vie et une comparaison de ces priorités peut faire ressortir des problèmes propres à être discutés ouvertement avant qu'ils ne deviennent des crises. Quelquefois il peut être nécessaire d'interchanger l'ordre des priorités de votre liste qui acceptées d'avance, seront des priorités définitivement classées auxquelles on n'aura plus besoin de revenir le lendemain. Mais, pendant que vous établissez cette fameuse liste de priorités en fonction de vos besoins ou en conjonction avec ceux d'une personne que vous aimez, essayez d'être suffisamment large d'esprit afin de considérer toutes les alternatives. Après tout, vous n'avez pas encore pris de décision. Explorez les secteurs qui ne vous sont pas familiers. Voyez les choses clairement et, au besoin, échangez cette liste de priorités avec celle d'une autre personne qui est concernée. Cette autre personne peut ne pas penser, voir les choses de la même façon que vous et cela peut ouvrir un débat débouchant sur des moyens termes.

Les valeurs

En vue de bien comprendre la nature et la forme de nos priorités, nous devons également savoir quelles sont nos valeurs. Les valeurs diffèrent d'une culture à une autre ; mais elles diffèrent également d'un individu à un autre dans une culture donnée. Nous pouvons le comprendre clairement dans un exemple très simple qui est l'idée du *premier arrivé premier servi*. En Angleterre ou aux États-Unis, nous allons chez un boucher où nous sommes habitués à attendre et à être servis dans l'ordre dans lequel nous sommes arrivés. Le boucher fait attention de conserver cet ordre et si quelqu'un essaie de doubler les autres, le boucher, tout comme un autre client, pourra rappeler cette personne à l'ordre. Dans d'autres pays, les choses ne se passent pas de la même façon. Vous pouvez être arrivés chez le boucher depuis dix minutes lorsque, soudainement, de quelques mètres derrière vous, une vieille dame qui vient juste d'arriver au magasin transmet quasiment sa commande par dessus la tête des autres et elle sera certainement servie avant vous. Il y a des pays dans lesquels c'est presqu'un sport, un jeu dans lequel quelques personnes sont meilleures que d'autres.

Cela existe également aux États-Unis : il y a des gens qui essaient toujours de passer avant les autres. De telles personnes ne partagent pas les valeurs culturelles générales de la société dans laquelle ils vivent.

Face à cette crise de culture actuelle, nous avons un double problème en découvrant ce que nos valeurs sont réellement. Non seulement nos valeurs personnelles divergent des valeurs culturelles générales de la société, mais ces valeurs culturelles elles-mêmes évoluent à une vitesse encore jamais vue. Lorsque notre éventail de valeurs personnelles a été formé par et dans un contexte de normes sociales qui ne sont pas anciennes, nous sommes inévitablement troublés. Et dans cette crise de culture, les normes semblent changer chaque année. C'est ce que nous avons déjà appelé le conflit des générations — nos enfants ne comprennent ou ne choisissent pas de vivre selon nos valeurs pour la simple raison que leurs valeurs sont plus éphémères que les nôtres. Ce n'est pas que les enfants d'aujourd'hui sont plus révoltés. Ils ont simplement été formés par une culture différente de celle qui a présidé à la formation de leurs parents.

Des thèmes culturels, comme le *premier arrivé premier servi*, sont les affirmations et les non-affirmations de notre société en général. Nous ne pensons pas tous les jours et nous ne nous répétons pas les thèmes et les valeurs à partir desquels chacun de nous vit. Ainsi nos actes et nos réactions sont définis par le système de valeurs que nous avons digéré. Mais, dans le monde d'aujourd'hui, les valeurs que nous avons acquises s'inscrivent souvent de façon contraire à ce qui se passe réellement dans le monde qui nous entoure. Lorsque la plupart de nos écoles urbaines ne valent pas mieux que des abattoirs, lorsque des bandes de jeunes déambulent dans les rues, lorsque des gens sont assassinés après avoir abandonné leur argent à leurs assaillants, nous pouvons difficilement dire à nos enfants d'essayer de composer avec le monde actuel sur la base de valeurs que la plupart d'entre nous avons acquises deux ou trois décades plus tôt. La plupart d'entre nous doivent, aujourd'hui, vivre avec deux ou trois jeux de valeurs — celles avec lesquelles nous aimerions vivre, et ces nouvelles valeurs qui sont le résultat d'une révolution technique culturelle et son impact sur plusieurs aspects de notre existence.

Pour montrer seulement comment les choses ont changé, examinons un instant les règlements des *boys scouts* qui incorporent douze idéaux qu'on peut regarder comme nos valeurs sociales d'il y a cinquante ans. Ces règlements disent qu'un scout est : « digne de confiance, loyal, serviable, amical, courtois, bon, obéissant, gai, économe, courageux, soigné et poli. »

Mais que sont devenus ces valeurs, aujourd'hui ? Comment peut-on parler de confiance lorsque les plus hauts fonctionnaires du Gouvernement placent le téléphone de leurs adjoints sur des tables d'écoute ? Lorsque la loyauté conduit directement au Watergate, peut-on être certain que cette loyauté soit une bonne chose ? Peut-on parler de serviabilité lorsque des douzaines de gens passent sans sourciller devant une jeune femme assassinée sur la rue ? Est-il possible d'être amical avec vos voisins dans les villes d'Amérique d'aujourd'hui ? Si vous êtes courtois et bon on vous prendra pour un imbécile et on abusera de vous.

La plupart d'entre nous aimerions croire que ces valeurs, comme bien d'autres, servent à quelque chose. Mais la majeure partie d'entre elles ont été déformées tellement de fois que notre culture tout entière n'est plus tout à fait certaine de ses propres définitions du bien et du mal. Aussi, ce qu'il nous reste de mieux à faire est de se créer des valeurs adaptables à notre personnalité tout en espérant qu'elles ne contreviennent pas aux lois du groupe. Et en même temps que nous établissons nos propres valeurs, nous pouvons avoir besoin d'un second, et parfois même d'un troisième système de valeurs qui nous permette d'évoluer dans le monde dans lequel nous vivons.

Mais si l'Église perd du terrain, si l'éducation faillit à sa tâche, si le fondement essentiel de notre société, la famille, se désagrège, d'où nous viendront ces valeurs ?

Devrons-nous modeler nos propres valeurs en fonction de celles que la télévision nous propose ? Devrons-nous, nuit et jour, nous promener dans les rues avec appréhension ? Devrons-nous nous résigner à la conclusion que rien ne peut être fait, que nous devrons vivre dans une jungle sociale sans espoir de changement et simplement prier pour notre survie personnelle ? Beaucoup pensent que c'est encore le seul moyen. Néanmoins, en tant qu'individus, nous pouvons remonter la pente de notre culture. Nous pouvons restructurer nos valeurs, mariant les anciennes aux nouvelles, et nous préparer à ce qui arrivera inévitablement. Nous pouvons dès à présent nous mettre à la tâche et ériger des valeurs qui restaureront la dignité humaine.

Quelques expériences pleines d'espoir sont actuellement réalisées. Par exemple, quelques programmes d'éducation intègrent la morale et l'enseignement de valeurs aux connaissances normales. Ces programmes reflètent davantage certains aspects d'anciennes et de nouvelles valeurs, incluant : courage, liberté, honnêteté, coopération, respect, conservation, santé, persévérance, courtoisie, tolérance, efficacité personnelle, initiative, confiance, amitié, compréhension.

Principalement, ces valeurs sont orientées vers le groupe, le bon sens commun de la société, et le mot *amour* a été omis, tout comme de nombreux autres.

Abraham Maslow a établi une liste de certaines valeurs de base à notre évolution et à notre développement qui peuvent quand même nous permettre de nous mettre au diapason de l'actualité : justice, vérité, beauté, honnêteté, réalité, autonomie, recherche de la perfection, autosuffisance, simplicité, unicité, santé, richesse, croyance religieuse, survie, confession, effort et loisirs.

Pour atteindre un équilibre personnel, en tenant compte du fait que la plupart des buts à atteindre sont beaucoup plus larges que soi-même, nous pensons que toutes les qualités et les valeurs de Maslow sont significatives, comme toutes les valeurs qui sont établies pour créer et développer des interactions de groupe.

En plus de la liste ci-dessus, nous pensons que les valeurs et les qualités suivantes peuvent directement servir à atteindre un objectif de développement personnel sans nuire aux interactions avec les autres :

1) SOI-MÊME : acceptation de soi à tous les niveaux, confiance en soi, identité, effort, adaptation, flexibilité, responsabilité, engagement, sens de l'humour, optimisme, spiritualité, intimité, indépendance.

2) LES AUTRES : amour du prochain, tendresse, générosité, compassion, volonté, amabilité, authenticité, intégrité, respect, ouverture d'esprit, respect de l'intimité des autres, attention.

3) CRÉATIVITÉ : acceptation des défis, conscience de soi, connaissance de la peur sans être contrôlée par

elle, imagination, expérimentation, invention, curiosité, spontanéité, ingénuité, transcendance.

Nos avons accompli cette brève exploration dans le monde des valeurs pour la simple raison que, pendant que chacun parle d'un besoin de valeurs, beaucoup ne semblent pas capables de dire quelles sont ces valeurs. Nos valeurs, dans leur sens le plus large, sont ce que nous trouvons d'essentiel au sujet de l'accomplissement humain ainsi qu'en nous-mêmes. Elles sont notre code de conduite, de préférence, nos croyances et nos idéaux. Des valeurs que nous choisissons comme guide à notre perception, à notre pensée et à nos sentiments, tant à notre égard qu'à l'égard de notre environnement — et notre environnement inclut des gens, des idées, des objets et des lieux ainsi que la Nature dans son sens le plus total. Quelques valeurs peuvent être changées, modifiées, abandonnées ou ajoutées au fur et à mesure de notre évolution et de l'évolution de la société. Par exemple, en cette époque *d'écoute électronique*, beaucoup de gens pensent que notre intimité est devenue une valeur beaucoup plus importante qu'elle ne l'a jamais été.

Toute décision que nous prendrons sera le reflet de nos valeurs. Si nous pensons que les opinions et les idées des autres sont plus importantes que les nôtres, nos décisions reflèteront ces faits. Si, à la lumière de nos valeurs, nous et nos responsabilités à l'égard des autres sont importantes, nos décisions réflèteront ce souci. Nos idées les moins claires et nos sentiments les plus mitigés produits par un conflit de buts et des valeurs incertaines seront le résultat de décisions difficiles à prendre et avec lesquelles nous devrons vivre plus tard. Mais si nous clarifions nos valeurs nous pourrons nous attacher à prendre des décisions avec lesquelles nous nous sentirons en parfait accord et dans lesquelles nous auront largement investi de nous-mêmes.

Quelques-unes des voies dans lesquelles nous avons choisi de placer nos valeurs peuvent être uniques, découlant de notre créativité individuelle. Mais elles demeurent le fruit de valeurs que nous avions choisies. Étudiez ces listes de valeurs que nous avons établies ci-dessus. Lesquelles d'entre elles sont les plus importantes pour vous ? Choisissez-en dix, ou quinze qui comportent un sens particulier, un besoin réel pour le moment. Aussi en prenant vos propres décisions dans la vie, vous pourrez contrôler vos valeurs par rapport à celles-ci.

Le processus décisionnel

La plupart d'entre nous, dans notre vie quotidienne, devons faire face à des situations, des gens et des choses en termes basés sur notre expérience, notre manière de vivre et notre personnalité, éléments qui sont à leur tour basés sur nos valeurs et nos priorités. Une crise se présente à nous comme une situation dans laquelle nous sommes arrivés après n'avoir pu résoudre un certain problème dans le passé. Nous devons trouver de nouveaux moyens d'orchestrer notre vie si nous voulons aller de l'avant avec succès. Nous devons développer un nouvel ensemble de données, une nouvelle cadence de vie, qui peuvent impliquer un profond changement de nos priorités et, souvent, quelques-unes de nos valeurs essentielles. Tandis qu'il existe un certain nombre de valeurs humaines données, c'est la combinaison de ces valeurs que nous choisissons en tant qu'individu qui peut changer considérablement le cours de notre existence, dépendant de la phase dans laquelle nous nous trouvons ou du défi que nous avons à relever. Si la phase dans laquelle nous sommes nous conduit à croire que notre intérêt est de nous définir en terme de société, les valeurs que nous avons inven-toriées sous le titre de *soi-même* dans notre tableau sont certainement les plus importantes pour nous. Si nous sommes aux prises avec un problème de définition de soi-même, alors les valeurs placées sous le titre *créativité* deviennent certainement importantes. Si nous cherchons à nous impliquer beaucoup plus largement à l'égard des autres, nous devrons donc nous attacher à cette liste concernant *les autres*.

À tout moment, quelle que soit la phase dans laquelle nous nous trouvons, nous serons confrontés à ces valeurs — mais celles que nous mettrons en tête de notre liste changeront tout comme nous changeons et tout comme le monde dans lequel nous vivons change. En prenant une décision dans une situation de crise, c'est notre conscience des priorités et des valeurs impliquées qui est cruciale.

Si nous allons nous promener dans un magasin sans savoir exactement quoi acheter, nous pouvons ressentir une frustration. Nous pouvons alors retourner chez nous et réfléchir. Ou alors il y a un moyen plus facile : appeler un vendeur, se promener avec lui, et se laisser influencer par lui. Si nous faisons quelques achats dans ces conditions, nous découvrirons invariablement que le choix de cette personne a été mauvais et qu'il ne nous convient pas. Sans compter que nous aurons commis une erreur.

Une telle attitude dans nos décisions ne concerne pas tellement une promenade dans un magasin. Le même processus s'applique parfois à de très sérieuses décisions que nous devrons prendre dans la vie : se marier, notre carrière, l'investissement de notre argent, nos amis, comment occuper notre temps. Sauf que dans ce genre de décisions il est généralement difficile de retourner au magasin rendre un objet qui ne nous plaît pas. Si nous sommes malheureux, c'est dû à la décision que nous avons prise ; et il n'y a personne d'autre à blâmer que nous-mêmes.

Si nous examinons réellement la situation, nous pouvons réaliser que la plupart de nos décisions malheureuses découlent du fait que nous n'avons pas assumé notre autonomie. Nous abandonnons cette autonomie de différentes manières : en étant influencés par les autres beaucoup plus que par nous-mêmes, en ne cherchant pas les informations adéquates qui définiraient nos besoins, en ne connaissant pas nos valeurs exactes et nos priorités, en résistant au changement ou en prenant des décisions par défaut. Nous ne faisons pas seulement cela dans des décisions concernant notre vie mais à l'égard d'un tas de choix quotidiens. Toutes les situations que nous rencontrons dans notre vie quotidienne ne ressemblent pas à une crise ; néanmoins elles requièrent la décision de changer d'attitude. Ces changements ne sont pas aussi fortement émotionnels que les changements majeurs de notre vie, mais le processus décisionnel est le même. Ce que nous faisons et comment nous le faisons, par exemple, lorsque notre patron passe sous silence notre dernier succès, notre fils décide d'abandonner ses études, notre fille de dix-huit ans souhaite vivre avec un ami ou lorsque notre mari veut, tout d'un coup, prendre des leçons de pilotage ? Comme parents, épouse ou simple individu nous rencontrons des changements tous les jours à chaque coin de rue. Certains d'entre nous y voient une chance de réévaluer leur position à l'égard de leur évolution personnelle. Mais bien souvent, autant que nous sommes, nous essayons d'attendre et de défendre nos positions à cause de vieilles habitudes ancrées en nous depuis longtemps. Avec nos enfants nous avons perdu notre autorité, et face aux autres situations nous avons cédé aux mains des habitudes et des coutumes. Mais lorsque nous nous engageons dans une impasse, nous déployons nos défenses : larmes, autorité, sacrifice, rationnalisation et indifférence afin d'éviter la confrontation avec les faits et éviter de voir les choses selon un nouveau point de vue.

Pourtant, chaque confrontation avec des changements qui surviennent dans notre vie peut être l'occasion de réfléchir au sujet des décisions et des actes ouvrant des voies nouvelles. À chaque fois que nous affrontons une crise personnelle, un changement dans notre vie ou des événements quotidiens, nous devons prendre des décisions conscientes et apprendre comment faire en sorte qu'elles nous soient favorables. Le processus décisionnel heureux, dans n'importe quel secteur de notre vie, commence avec une prise de conscience et ça, nous pouvons l'apprendre. Les suggestions suivantes vous aideront à comprendre et à développer ce processus :

1) Connaitre ses valeurs et ses priorités.

2) Découvrir des informations pertinentes.

3) Explorer tous les aspects d'un problème et tenter d'en découvrir de nouveaux.

4) Imaginer les conséquences de chaque décision afin d'aider à mieux les évaluer. Les placer par ordre si nécessaire.

5) Faire son choix.

6) Évaluer les sentiments déclenchés par ces choix.

7) Avoir des décisions de secours au cas où un premier choix s'avèrerait mauvais.

8) Être prêt à prendre des risques.

9) Être conscient du fait que les décisions importantes exigent beaucoup plus de continuité que les autres.

10) Être conscient du fait que des décisions peuvent être changées ou modifiées. — Si vous avez pris une mauvaise décision, ne vous en sentez pas esclave, et essayez autre chose. —

Recueillir des informations pertinentes, c'est capital. Ramassez tout ce que vous pouvez trouver : les circonstances, les possibilités. Si vous essayez de vous décider lorsque quelque chose n'est pas clair, attendez jusqu'à ce que vous ayez plus d'informations. Ouvrez-vous les yeux, les oreilles et également l'esprit, surtout si vous êtes confrontés à des domaines qui ne vous sont pas familiers. Mais, quoiqu'il en soit, à un moment donné vous devrez arrêter de réfléchir et prendre votre décision. Dans n'importe quelle situation, il y aura toujours des points que vous ignorerez. On ne connaît personne qui soit en mesure de posséder toutes les informations qui lui sont nécessaires.

Comment découvrirez-vous d'autres solutions ? Certaines d'entre elles sont apparentes malgré les habitudes. Mais en état de crise, c'est bien les nouvelles solutions que nous devons explorer. Nous ne pourrons pas les adopter si nous ne les percevons pas ou si nous ne les explorons pas. En explorant de nouvelles solutions, quelques techniques de solution de problèmes mises au point par l'industrie peuvent être utilisées. Après tout, si elles servent à augmenter les profits de grandes corporations, pourquoi ne seraient-elles pas au service de notre problème personnel. Une de ces techniques est la familière citerne à idées, le fameux *brain-storming*, utilisé à résoudre tant de problèmes. Jetez sur la table n'importe quelle idée, si folle soit-elle. Il y en aura bien une qui vous satisfera. Un autre sytème de création veut que vous regardiez votre problème depuis un endroit d'où ce qui est familier vous paraîtra étrange et ce qui est étrange vous paraîtra familier. Nous pouvons utiliser toutes ces techniques en explorant des voies nouvelles. Sortez des schémas visuels avec des tas de solutions toutes prêtes que la société a mis au point et commencez à découvrir vos propres solutions créatives. Au lieu de penser d'une façon linéaire et logique comme A, B, ou C, sortez des chemins battus. Si ça marche, et que ça vous ouvre de nouvelles voies, tant mieux. En pensant à une solution illogique, cela ne peut pas toujours marcher, et cela peut vous apporter de nouveaux points de vue. Ensuite, comment choisir entre les solutions ? Le meilleur moyen est d'examiner leur conséquences : qu'arrivera-t-il si vous faites telle ou telle chose ?

Après avoir fait tout ce travail préparatoire, essayez de penser comment vous vous sentirez lorsque vous vivrez avec telle solution. La partie la plus importante d'une décision reste encore l'élément humain. Asseyez-vous et demandez-vous comment vous vous sentirez réellement dans tel ou tel nouveau costume ? C'est encore le meilleur moyen de vous découvrir et de vous évaluer. « À chaque fois que j'ai dû faire face à des choix concernant mon avenir, dit Ray Bradbury, je pense toujours à mon estomac, pas à ma tête, pour décider. La tête rationnalise... mais l'estomac sait, il connait la faim mais il ne se trompe jamais si vous êtes assez intelligent pour l'écouter. » Faites confiances à vos intuitions, sans tenir compte de la logique des autres solutions. Servez-vous de votre tête pour trouver des solutions et asseyez-vous pour en discuter avec votre estomac.

Le choix consiste à éliminer toutes les solutions sauf une. Trop d'options peuvent vous embrouiller mais mieux vous vous connaîtrez, mieux il en sera pour éliminer celles qui ne vous conviendront pas. La vie n'est faite que de chances. Mais pour tirer le meilleur parti de ces chances données, vous devez vous-mêmes vous y donner entièrement. Et si ça ne fonctionne pas, prenez quelque chose d'autre. Nous réalisons que le processus que nous décrivons peut paraître très rationnel mais il n'est pas si simple que ça. En prenant des décisions, beaucoup de gens rejettent systématiquement les considérations qui ne leur semblent pas rationnelles. Les gens sont impulsifs, émotifs, et souvent merveilleusement illogiques, mais il n'y a aucun plan ou aucune stratégie qui soient toujours parfaitement suivis. Ces suggestions peuvent vous donner une idée sur la façon d'attaquer le problème et sur la manière de prendre en main ce processus décisionnel.

Il existe deux catégories de processus décisionnel. Le premier est une décision que nous prenons seul. La majeure partie des décisions fondamentales que nous prenons dans la vie, nous les prenons seuls, un peu parce que le mythe de la maturité et d'autres pressions sociales nous poussent souvent à agir de cette manière. Mais il n'y a pas de concensus de décisions à faire, avec le groupe ou la famille par exemple, si nous décidons de déménager d'une ville à une autre. La décision d'accepter un nouvel emploi en est une que nous prenons fondamentalement seuls – parce que nous pensons que cette décision est essentielle à notre propre réalisation. Si, dans un couple, les deux éléments ont une carrière à conduire, alors la décision découle d'un concensus.

Un couple que nous avons rencontré dernièrement faisait face à un problème de ce genre. Marc, expert en informatique ; Janine, spécialisée en recherche sur le cancer. Tous les deux travaillaient à Chicago quand, simultanément, on leur offrit deux postes, Janine à Boston, et Marc à Pittsburgh. Dans les deux cas, ces deux offres correspondaient exactement à ce qu'ils voulaient individuellement. Mais il est clair que si leur mariage devait durer, l'un des deux aurait à céder devant les besoins de l'autre. L'offre de recherche qui avait été faite à Janine lui donnait la chance de s'ouvrir une carrière nationale. Dans le cas de Marc, l'emploi offert était très bon, bien qu'il existait un nombre assez considérable d'autres compagnies accomplissant le même travail. Une ou deux d'entre elles se trouvaient justement à Boston. Aussi, par concensus, ils décidèrent d'aller à Boston où Janine pouvait vivre cette chance unique. Elle accepta l'offre qu'on lui avait faite, et en moins de trois mois, Marc avait trouvé un emploi dans la région de Boston, équivalent à celui qu'il occupait à Pittsburgh.

Un concensus de décision n'implique pas qu'une personne doive capituler devant l'autre, ou qu'une personne laisse l'autre choisir. Un concensus n'est pas une question d'abandonner ces besoins individuels mais plutôt de peser les circonstances particulières. Cela implique que les deux personnes ont largement examiné les solutions possibles et entièrement accepté ce qu'il y a de mieux à faire pour le moment. Dans le cas de Janine et de Marc par exemple, il se pourrait qu'à un moment donné de leur vie, les situations soient inversées.

Dans le cas de décisions secondaires — celles qui n'impliquent pas directement notre rythme de vie — on peut inclure un grand nombre de gens dans le processus décisionnel. Ainsi, il se peut qu'un des deux ait à prendre une décision, seul, qui nécessite un déménagement dans une nouvelle ville, le reste de la famille étant certainement concerné en décidant quel genre d'appartement ou de maison ils loueront. La même chose est vraie pour des vacances, etc. En fait, chaque individu a intérêt à voir clairement, non pas seulement ce que pense la famille, mais également pourquoi il pense que son choix l'incite à se diriger dans telle ou telle voie.

Deux autres suggestions peuvent être faites et peuvent vous aider à prendre vos décisions :

1) Trouver le meilleur moment pour prendre votre décision. Pour chaque personne ce moment peut être différent : pour certains, c'est en marchant seul la nuit, pour d'autres c'est en prenant une douche le matin. Mais quoi qu'il en soit, chacun de nous a un meilleur moment pour ça. Connaissez vos heures les meilleures, choisissez votre moment le plus optimiste pour prendre une décision.

2) Aborder votre problème pendant qu'il est *chaud* et *refroidissez-le* avant de prendre votre décision. Cette façon de pratiquer est différente de celle qui consiste à choisir le meilleur moment avant de prendre une décision. Il est important de vous pencher sur votre problème quand vous avez l'impression que votre problème *vous dit quelque chose*. Il y a une cloche qui sonne en vous. Alors c'est le moment d'y faire face. C'est, comme un ami nous le disait, « Attraper le problème quand il presse le plus, et travailler dessus. » Cela peut vous aider à voir les choses sous un aspect différent que vous le feriez plus tard ou que vous l'auriez fait avant. Avoir le courage de faire face à un problème quand il presse le plus vous aidera à clarifier quelques-uns de ces aspects. Mais n'utilisez cette approche *chaude* que pour explorer le problème. Utilisez l'approche *froide* au moment de prendre une décision.

Le cycle de la décision

À partir de ce moment la fameuse *roue de la conscience* que nous avions présentée dans un chapitre précédent peut être élargie afin d'y ajouter ce que nous y avons appris au sujet du processus décisionnel. Ce modèle amélioré représente donc le cycle de la décision. *(fig. 7)*.

Toutes nos décisions dépendent d'éléments qui nous sont donnés par notre environnement, en plus des informations que nous y ajoutons. Les informations et les données que nous reçevons du monde extérieur au sujet de nos solutions, de la part de nos amis et des *feedback* de d'autres personnes — sont très importants dans ce cycle de processus décisionnel. Mais nos propres données sont également aussi importantes. C'est vous qui interprétez toutes les données et prenez la décision. Se concentrer, faire sa *mise au point* sur son secteur

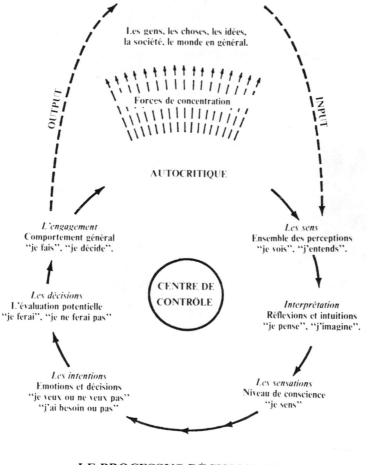

L'ENVIRONNEMENT

Les gens, les choses, les idées,
la société, le monde en général.

Forces de concentration

AUTOCRITIQUE

OUTPUT

INPUT

L'engagement
Comportement général
"je fais", "je décide".

Les sens
Ensemble des perceptions
"je vois", "j'entends".

**CENTRE DE
CONTRÔLE**

Les décisions
L'évaluation potentielle
"je ferai", "je ne ferai pas"

Interprétation
Réflexions et intuitions
"je pense", "j'imagine".

Les intentions
Émotions et décisions
"je veux ou ne veux pas"
"j'ai besoin ou pas"

Les sensations
Niveau de conscience
"je sens"

LE PROCESSUS DÉCISIONNEL
Fig. 8

d'implication, passer au travers du processus décisionnel peuvent vous aider à découvrir des domaines à l'égard desquel vous pourriez devenir plus ouverts et dans lesquelles vous pourriez découvrir de nouvelles solutions. Il se peut que vous passiez plusieurs fois à travers ce cycle, ou une partie de ce cycle, avant d'être finalement prêt à passer à l'action. Mais quoi qu'il en soit, si vous devez résoudre votre crise, si vous devez évoluer et changer, c'est cette étape finale qui doit être accomplie.

CHAPITRE IX

S'ENGAGER DANS L'ACTION

Prendre des risques pour sa sécurité

Nous hésitons tous à prendre des risques. Prendre des risques, comme les changements de toute nature, voilà une étape qui ne nous est pas familière. Lorsque nous faisons face à ce qui ne nous est pas familier, nous hésitons, notre bouche devient sèche, notre coeur bat deux fois plus vite. La nature humaine a toujours été comme ça. Depuis les temps les plus reculés, l'homme a eu peur de l'inconnu. C'est ainsi qu'il a élaboré des systèmes de rituels et de croyances pour faire face à des peurs et ses anxiétés. Mais tandis que l'homme a besoin de sécurité et fait tout ce qui est en son pouvoir pour la maintenir, il a aussi besoin de défis, et parce qu'il a été un preneur de *risques* et qu'il a résolu des problèmes depuis deux millions d'années, prendre des risques est devenu une partie de sa nature. La tension et l'ambivalence entre son besoin de sécurité et son besoin de défis procure la dynamique d'évolution et la vie. C'est parce que l'homme a fait face à ses défis et qu'il a pris des risques qui l'impliquaient qu'il est devenu une créature dominante de la terre. Et ce qui est paradoxal, l'homme a à prendre des risques pour maintenir sa sécurité. La vraie sécurité intérieure découle seulement de la réaffirmation constante de soi-même, de notre compétence et de notre capacité, au travers de l'action, de nos implications et de nos défis.

En termes de *changement de vitesse*, c'est au travers de ces étapes que nous pouvons réellement évoluer. Mais ce n'est pas assez pour prendre une décision. Tant que vous n'avez pas appliqué votre décision, vous n'avez pas *changé de vitesse*. Tant que vous n'avez pas encore pris votre décision, elle n'est qu'un désir. La réalisation personnelle et l'actualisation personnelle ne vous demandent qu'une chose. Réalisez-vous dans vos actions. Penser ou sentir quelque chose, ce n'est que le début. Tant et aussi longtemps que nous ne disons que ce que nous ressentons, nous ne nous sommes pas engagés à l'égard de ces pensées ou de ces sentiments et nous ne pouvons réaliser tout leur pouvoir et tout leur potentiel.

Vous êtes en crise. Vous venez d'en prendre conscience, ce qui est la première étape de notre processus de *changement de vitesse*. En évaluant votre situation et en explorant les solutions possibles, vous confirmez cette prise de conscience. Alors vous prenez une décision. Mais si vous vous arrêtez là, vous n'avez pas *changé de vitesse* et vous n'avez pas résolu la crise. Pour résoudre la crise, vous devez maintenant prendre le risque de vous engager dans l'action et de mettre à l'épreuve votre compétence dans une nouvelle situation.

L'engagement dans l'action

Il existe en chacun de nous un profond besoin de s'impliquer dans le monde qui nous entoure — ce besoin s'exprime par notre nécessité de relations sociales, l'obligation de faire reconnaître notre compétence et notre productivité, d'avoir l'impression de faire partie du village global. Mais tout cela n'arrive qu'au travers des engagements. C'est ce que nous choisissons de faire qui détermine la nature de notre engagement.

Nous pouvons, au cours d'une phase de notre vie d'adulte, nous engager de façon primaire à nous définir en termes sociaux, concentrant toute notre énergie sur des vues extérieures — le travail, la famille, l'avancement matériel. A une autre période de notre vie d'adulte, nous nous trouvons placés dans une phase différente, nous engageant premièrement dans une force d'expansion et d'extension de notre monde intérieur. Ou bien nous pouvons nous engager dans quelque chose de beaucoup plus large que soi-même, un peu comme ce retraité dont nous parlions au chapitre IV et dont la nouvelle carrière de professeur, non seulement lui apporta beaucoup plus de satisfaction personnelle, mais aussi un sens lui donnant le sentiment qu'il faisait du monde un endroit meilleur que celui qu'il avait trouvé. Mais quelle que soit la phase dans laquelle nous nous trouvons, et quel que soit l'engagement que nous assumons, l'acte d'engagement suit les mêmes règles.

L'engagement dépend principalement de la manière avec laquelle nous voyons les choses. Plus clairement nous verrons notre implication dans la vie et dans nos rapports avec elle, plus nos engagements deviendront importants. L'histoire suivante illustre ce point de façon assez claire: trois ouvriers à leur travail se demandaient ce qu'ils faisaient. Le premier expliqua qu'il érigeait des rangées de briques les unes sur les autres, plaçant du ciment entre chaque rangée; le deuxième expliqua qu'il construisait un mur qui constituerait une partie d'un grand édifice; mais le troisième homme déclara: "je construis cet immeuble qui sera une école où des enfants apprendront quelque chose." Ainsi que nous le montre bien le troisième briqueteur, l'engagement est fondamentalement une attitude à l'égard de ce que vous faites et de la façon avec laquelle vous le faites. Sa vision était plus large, sa relation avec son travail beaucoup plus importante.

Un engagement vous conduit à faire un choix. Si on offrait trois emplois différents à un même homme, il devrait prendre une décision pour choisir l'un d'eux. Le travail peut être plus payant, un autre offrir beaucoup plus d'avancement, et le troisième correspondre beaucoup plus aux talents particuliers de notre homme. Quel que soit celui qu'il acceptera, cet homme s'engagera à l'égard de ce travail pour une durée assez longue. Cela ne signifie pas qu'il ne changera jamais de métier, qu'il ne pourra pas *changer de vitesse,* mais cela implique que, pour le moment, cet homme laissera de côté les deux autres métiers qui lui sont offerts afin de localiser toute son attention sur celui qu'il a accepté, auquel il consacrera tout son temps et tous ses efforts.

S'impliquer totalement sous-entend qu'il faut entrer en relation avec l'engagement que nous avons choisi, qu'il s'agisse d'un emploi, d'une relation personnelle ou d'une création artistique. *En relation* est l'essence de cet engagement et en contribuant à cette relation nous donnons une grande part de nous-mêmes, apprenons et croissons. L'engagement implique également qu'il faut accepter les limites — la routine, les matériaux, les heures, la personnalité — autant pour nous-mêmes que pour les autres à l'égard de qui nous nous sommes engagés. C'est seulement en acceptant ces limites que nous pouvons transcender ces limites.

Un artiste accepte les limites de ses matériaux, qu'il choisisse du bois ou de la pierre, des tubes de néon ou de la peinture à l'huile. Un sculpteur, par exemple, respecte l'intégrité de base, des qualités uniques, de la pièce brute de bois qu'il a choisie. Il commence à travailler à sa culture, s'explorant lui-même, investissant sa concentration, son énergie et sa créativité dans cet acte. De cet engagement émerge une entité, une oeuvre d'art, par laquelle tout a été transformé: la pièce de bois est devenue une nouvelle forme et une nouvelle réalité, l'artiste, par cette nouvelle réalisation, a atteint une nouvelle forme d'expression de lui-même. Nos relations personnelles et nos engagements nous offrent d'évoluer dans le même sens. En nous impliquant avec les autres, en protégeant et en respectant l'intégrité de base de tous et chacun dans cette relation, en étant disposés à changer et à apprendre de nos différences autant que de nos similitudes, nous transcendons nos limites et nous évoluons.

C'est la même chose qui se produit lorsque nous choisissons de nous engager dans un projet, une idée ou une carrière. Nous devons faire suffisamment attention à donner le meilleur de nous-mêmes, à découvrir de nouvelles voies d'évolution tout en tâchant de faire reculer nos limites, tout en donnant de nous-mêmes et tout en reçevant des autres en échange. Dans une relation, l'engagement va jusqu'au point de découverte d'une réponse authentique, d'une découverte de l'essence de soi et des autres dans nos actes et à travers eux. Dans notre engagement à l'égard d'un travail et d'un projet, c'est une part de soi-même que nous découvrons, qui bénéficie et évolue au travers de cette nouvelle expérience. Et, en donnant le meilleur de nous-mêmes, nous découvrons et nous devenons conscients de notre potentiel et du fait que ce que nous faisons libèrent. Si nous ne donnons pas le meilleur de nous-mêmes, nous ne nous sommes pas réellement engagés et nous faillirons certainement à cette tâche.

Lorsque nous nous engageons, nous ne pouvons pas espérer toujours en retirer de grandes satisfactions, ou des *feedbacks,* des travaux ou des relations personnelles à l'égard desquels nous nous sommes engagés. Quelquefois, bien sur, nous trouvons que, malgré tous les efforts que nous y mettons, la satisfaction qui vient en retour n'est pas égale à ce que nous avions espéré. Mais on ne peut vraiment pas arriver à la conclusion que nous ne sommes pas satisfaits si nous ne donnons pas tout ce qu'il est possible de donner de nous-mêmes en premier lieu.

Nous allons comprendre l'importance de l'engagement et de ses attributs d'évolution dans une des situations les plus communes. Deux personnes, hommes ou femmes, sont engagés par la même compagnie au même moment pour combler des emplois de mêmes niveaux. Il peut s'agir de secrétaires, commis de bureau ou d'adjoints à un chef de service. Les deux personnes peuvent penser qu'elles pourraient faire mieux, mériter un plus haut salaire comportant plus de responsabilités. Mais, à cet égard, elles ont deux réactions différentes: la première fait son travail du mieux qu'elle le peut ; il est clair qu'elle ne sera pas rapidement gratifiée de promotion et que même, très rapidement, elle se cherchera un autre emploi ailleurs où la même chose se répètera. L'autre personne, en dépit de toutes ces réserves, s'intéresse très rapidement à son boulot, observant tous les aspects de ce qui en est intéressant, cherchant à le faire mieux, avec plus d'efficacité. De telles personnes attirent généralement l'attention de leurs supérieurs, obtiennent des promotions, un travail plus intéressant et un meilleur salaire. Donc dans le cadre de cet engagement personnel à l'égard de cet emploi, l'individu évoluera, découvrira mille et une choses à son égard, développera l'estime qu'il peut avoir en lui-même et sera mieux préparé à accepter d'autres responsabilités lorsque le temps viendra.

Dans le monde d'aujourd'hui beaucoup de gens disent: "pourquoi me forcer, tout est pourri et pourquoi m'impliquerai-je à l'égard de n'importe quoi?" Une telle réaction est facile à comprendre. Nos dirigeants politiques ne font pas de miracles. Nos employeurs semblent davantage intéressés par les profits que par la qualité du travail que nous faisons. Tout semble être temporaire. Et parce que nous vivons dans une crise de culture dans laquelle les valeurs sont constamment en train de changer, dans laquelle les croyances d'hier deviennent des désillusions aujourd'hui, il est difficile de comprendre pourquoi et comment nous nous engagerions. Mais, en fait, nous pouvons trouver nos propres valeurs, idéaux et buts, quoiqu'il en soit. Nous définissons nos valeurs à travers ce que nous faisons. Les réalisations personnelles dépendent également de ce que nous faisons. Une réalisation personnelle n'est pas: "...une fin en soi ou une forme d'occupation." Ainsi que le Dr Friedman le signalait. C'est le mouvement d'une personne à travers le temps, la réponse d'une personne à une situation, l'interaction d'une personne avec les évènements." Au travers de l'action, au travers des engagements à cet action, au travers des prises de position et des engagements dans la vie, nous évoluons, et toutes nos ressources intérieures engagées dans cette action émergent à travers elle. Personne ne peut vous conduire à franchir ce seuil. C'est le point final à partir duquel vous devez agir, seul. Quoiqu'il en soit, vous avez un risque à prendre, vous devez terminer votre cycle de *changement de vitesse* en abordant l'étape d'une nouvelle action et d'un engagement.

Des demi-étapes

Notre engagement à l'égard de nouvelles actions

peut prendre la forme de demi-étapes. Cette approche était celle utilisée par Tom dont l'histoire vous a été racontée dans le chapitre IV. Reconnaissant son insatisfaction à l'égard de son genre de vie et de son travail à New York, il a évalué sa situation, exploré les alternatives possibles, et trouvé son chemin dans cet imbroglio. Il était donc prêt à faire un pas dans le sens d'une nouvelle manière de vivre, mais ne souhaitait pas s'engager totalement aussitôt. Premièrement, il voulait expérimenter, faire des demi-pas. Il acheta une maison ailleurs, et y installa sa famille; Pendant ce temps-là, il continua à assumer ses responsabilités professionnelles à New York tout en étudiant les possibilités professionnelles qui s'offraient à lui dans cette nouvelle région et en continuant à administrer son entreprise à New York.

L'approche expérimentale de Tom à l'égard d'un nouveau genre de vie lui conservait une porte de sortie. Il se donnait, ainsi qu'à sa famille, le temps nécessaire aux ajustements et aux changements qu'il faisait. Ainsi, le processus de *changement de vitesse* a été accompli graduellement sur une certaine période de temps. Mais, faire des demi-pas réclame également un haut degré d'engagement. Vous ne faites pas réellement un demi-pas si vous prenez seulement une solution après l'autre pour quelques jours; vous devez vous donner une année ou plus, ainsi que Tom le fit, ou six mois ou bien deux ou trois mois. Il y a une différence entre le demi-pas et le pas complet, entre l'engagement conditionnel et l'engagement total: c'est une question de temps. Avec des demi-étapes, vous vous dites: je vais essayer telle ou telle chose pendant un certain temps et voir comment ça va." Avec un engagement total, un *changement de vitesse* complet, vous vous dites: je vais essayer telle ou telle chose pendant un certain temps et voir comment ça va." Avec un engagement total, un *changement de vitesse* complet, vous vous dites : « je vais vivre de cette façon pour un temps indéfini, tant et aussi longtemps que je me sentirai heureux. » Avec une demi-étape, vous savez que dans six mois ou un an vous aurez une autre décision à prendre : est-ce que ça marche ou pas ? Tandis qu'avec un engagement complet, une telle décision est derrière vous : oui, ça marchera.

On peut voir les choses autrement lorsqu'on parle de demi-étapes. Beaucoup d'entre nous, dans leurs expériences passées, ont fait et appris des choses dont on peut faire usage avec beaucoup d'effet dans le futur. Nous parlions du cas d'une femme qui avait obtenu un diplôme en Arts. Elle avait toujours été intéressée par la décoration intérieure. Au cours des vingt premières années de sa vie d'adulte, elle avait été une femme d'intérieur. — Après que ses enfants eurent grandi, elle décida de vivre différemment et de renouer avec le monde extérieur, tout en se développant une carrière. Ses études antérieures, en plus de son inaltérable intérêt pour la décoration constituaient une demi-étape. Cette expérience acquise, bien que n'ayant pu en apprécier auparavant toute la portée, n'avait pas été du temps perdu.

Beaucoup d'entre nous ont franchi des demi-étapes dans leur passé. Un ancien directeur de station de télévision bien connu hantait les ventes aux enchères, achetant tout ce qu'il voyait. Il transportait ses acquisitions chez lui, dans l'arrière de sa voiture, et passait des jours à restaurer ces meubles, les réparant et leur redonnant leur éclat d'antan. A peine âgé de cinquante ans, il perdit son emploi ; au cours des dix années suivantes, il mit son expérience au service d'un antiquaire de l'avenue Madison. D'autres individus ont utilisé leur supposé passe-temps pour s'ouvrir de nouvelles carrières dans des domaines aussi divers que la photographie, la navigation ; ils sont devenus instructeurs de golf ou ont ouvert des magasins de livres rares. Nous entendons souvent parler et nous lisons souvent des choses au sujet de telles personnes mais nous concluons seulement qu'elles ont eu de la chance de pouvoir accomplir de telles demi-étapes vers de nouvelles carrières.

Les femmes, de par leur statut social *inférieur*, sont souvent beaucoup plus enclines à penser qu'elles n'ont pas de talents remarquables, des talents qui pourraient être mis au service d'une carrière vers la fin de leur vie. En fait, beaucoup de femmes ont souvent plus de potentiel et plus de possibilités de choix que les hommes. Nous connaissons de nombreuses femmes qui ont abandonné une soi-disant carrière dans les *arts domestiques* pour en faire un métier lucratif. Une femme qui avait passé de nombreuses années comme présidente de sa société locale pour la préservation des sites historiques en savait tellement sur la loi qu'elle décida de devenir avocate. La plupart des femmes qui ont dirigé avec succès une maison, établissant le budget familial, etc. ont déjà, sans le savoir, accompli une demi-étape pouvant les conduire vers de nombreusescarrières possibles, qu'elles le sachent ou non. Des milliers de femmes ont mis ce qu'elles avaient appris à la maison au service de nouvelles carrières dans l'enseignement, les affaires ou les Arts. Et la plupart des femmes ont suffisamment de ressources personnelles pour le faire.

Lorsque nous désirons *changer de vie,* lorsque nous souhaitons *changer de vitesse,* la première chose à considérer est souvent cette demi-étape vers cette nouvelle vie : souvent nous avons déjà fait la moitié du chemin sans le savoir. Bien sûr, on ne peutpas être certain que ces demi-étapes passées sont valables, sinon, au moins, qu'elles ont été un stade d'expérimentation. Nous pouvons toujours entamer une nouvelle carrière à temps partiel afin de voir ce qui nous conviendrait ou pas, si nous pouvions être heureux dans ces nouvelles occupations. Or nous pouvons découvrir, ayant déjà accompli des demi-étapes dans le passé, que nous sommes prêts à faire le saut suivant et à nous engager totalement, une fois pour toute.

Faire le saut

Faire le saut ne veut pas dire qu'il faille foncer aveuglément, sans réfléchir un instant. Celui qui a perdu sa fiancée et qui, de désespoir, épouse à toute vapeur une autre fille qu'il a connue quelques mois plus tôt, cherche des ennuis. Le syndrome du *rebondissement* n'est guère le moyen d'accéder à une solution pleine de succès en cas de crise. Une fois devenus conscients de notre situation après l'avoir étudiée, après avoir évalué et exploré les possibilités et pris une décision, il est souvent possible de faire le pas complet, de s'engager entièrement dans cette action aussitôt la décision prise. On peut toujours espérer éviter les demi-étapes et faire le saut, directement, dans sa nouvelle vie.

Plus un individu a confiance en lui, plus il a une bonne opinion de lui-même, plus il se sentira en sécurité dans cette nouvelle décision. La confiance sera plus grande à l'égard de sa décision s'il était prêt à accomplir une demi-étape dans le passé. Mais, quelquefois, nous n'avons pas le choix et les circonstances nous forcent à faire le saut. On peut, par exemple, nous offrir un emploi et nous dire qu'une réponse doit être donnée d'ici un jour ou deux. Nous pouvons voir une maison à vendre dans la région ; si nous ne l'achetons pas immédiatement, elle peut être achetée par quelqu'un d'autre. Dans ces cas nous pouvons faire le saut ou bien ne pas le faire. Il n'est pas question d'expérimentation, pas plus que de demi-étapes possibles. Notre réaction à l'égard de telles situations dépendra de notre degré d'avancement dans le processus de *changement de vitesse*. Si nous n'avons pas progressé très loin, la pression des circonstances peut agir comme une sorte de défi qui accélère le processus.

Nos sentiments de profonde insatisfaction peuvent être une première circonstance de motivation. Ou bien nous pouvons être indécis, et, au pire, penser qu'il serait fou de prendre une décision rapide.

Mais aujourd'hui beaucoup de gens sont assez insatisfaits pour faire un saut dans une nouvelle existence. Un jeune directeur de banque et son épouse ont déménagé au Canada pour prendre en main un petit magasin situé sur la frontière ; un haut-placé dans une grande société a abandonné son emploi pour devenir pigiste et vivre dans les montagnes ; un jeune couple en publicité a décidé d'adhérer à une ferme communautaire. Dans tels cas, il n'y a pas eu de demi-étapes. Un tel saut a nécessité une décision immédiate et un engagement rapide. Le risque peut être plus grand, mais la satisfaction qu'on en retire peut également être plus grande.

Reconstruire au même endroit

Vivre à une époque où les changements et les options sont très rapides et où ils augmentent en quantité et non en qualité, fait que les solutions à nos changements personnels et à nos crises prennent souvent des formes dramatiques. Nous ne *changeons pas seulement de vitesse* d'un emploi à un autre, mais parfois, d'une carrière à une autre ; nous ne déménageons pas d'une rue à l'autre, mais souvent, d'un bout à l'autre du pays. Un homme qui était un ingénieur en aéronautique en Californie l'année dernière est devenu gérant d'une station de ski dans le Colorado cette année. La femme qui était une femme d'intérieur en Virginie l'an dernier est devenue journaliste cette année pour une station radiophonique de St-Louis. Ces cas, quelquefois surprenants, constituent de bons exemples à travers desquels il nous est facile de comprendre le processus de *changement de vitesse* : le fait qu'ils sont dramatiques rend plus facile leur compréhension. Mais il ne faut pas oublier qu'on peut aussi *changer de vitesse* pour acquérir quelque chose de moins ou un genre de vie plus tranquille.

Il se peut très bien que cette femme qui a quité sa maison et sa famille pour aller vivre à New York avec un peintre n'ait pas *changé de vitesse* du tout. Dans ce rebondissement en hauteur, un peu bohémien, elle n'a pas réellement *changé de vitesse ;* elle fait toujours face à son problème : elle n'a fait que transférer son problème en un lieu plus exotique. D'un autre côté, ce couple qui était votre voisin depuis vingt ans et qui l'est encore, peut avoir *changé de vitesse* sans que vous vous en soyez aperçu. Si vous y pensez bien, vous vous souvenez que ce couple de banlieue ne semblait pas devoir vivre longtemps ensemble ; leurs amis parlaient d'une possibilité de divorce. Maintenant tout semble aller très bien. Ce couple a *changé de vitesse,* non pas en changeant de carrière ou en modifiant de façon drastique son genre de vie, mais simplement en se découvrant lui-même et en se plaçant dans un nouvel orbite de relation-avec les autres. Apparemment, il semble mener le même genre de vie qu'il l'a toujours fait, et pourtant il a changé. Il a appris à communiquer avec les autres de façon plus ouverte, à respecter les droits et l'intimité d'autrui, et comme s'il avait ajouté des pièces à sa maison, il s'est découvert de nouveaux horizons. Si vous y regardez de plus près, vous constaterez que l'homme et la femme de ce couple agissent plus indépendemment l'un de l'autre et qu'ils ont tous deux adopté de nouvelles attitudes.

Nous parlerons beaucoup plus abondamment des relations et du processus de *changement de vitesse* dans un chapitre subséquent. A ce point, il est important de voir clairement que le *changement de vitesse* peut être accompli de façon intime, sans grands chambardements. De tels changements drastiques peuvent être et seront nécessairement la réponse attendue par quelques personnes. Mais il y en a d'autres qui trouveront qu'il est plus important pour eux de reconstruire au même endroit. Les étapes qu'ils auront franchies dans ce *changement de vitesse* pourront être plus subtiles et, si subtiles, qu'un étranger ne le remarquera pas. Les éléments extérieurs de leur vie seront à peu près les mêmes, mais leurs attitudes à leur égard et à l'égard des autres seront différentes. Si nos attitudes changent, dans le cours d'un *changement de vitesse,* le même emploi, le même conjoint, le même environnement peuvent sembler aussi frais qu'un nouvel emploi, un nouveau conjoint ou un nouvel environnement.

Des trucs pour vous aider

Il y a plusieurs aspects importants dont il faut tenir compte lorsqu'on franchit quelques étapes. Voici quelques trucs susceptibles de vous aider à combattre la peur de prendre des risques, la peur de vous engager entièrement dans une action :

POINT 1

Passer à travers la barrière du risque. Beaucoup d'entre nous sont paralysés dès qu'une décision a été prise parce que nous avons peur de mal paraître, nous avons peur de l'opinion des autres au sujet de nos actes. Prendre un risque est précisément affolant parce que nous mettons en jeu notre *réputation* et, d'autre part, nous mettons en jeu nos traditions ou nos propriétés.

Il vient un temps pour chacun de nous où nous avons à avoir le courage de nos convictions, le courage de nos actes. La première fois que nous disons non, pour des raisons rationnelles, adultes, à une personne en autorité — professeur, parent, patron — peut être la première fois où nous devenons vraiment un être individuel. Et ceci est quelque chose que nous devons répéter tout au long de notre vie — jeter nos préjugés à la poubelle et adopter de nouvelles attitudes. Si nous nous inquiétons à l'excès de l'opinion des autres, nous ne vivrons jamais notre propre vie et nous ne nous connaîtrons jamais. Souvent, plutôt que de perdre notre dignité, nous gagnerons du respect en nous tenant debout et en faisant ce que nous avons envisagé de faire. Ils m'ont traité de *fou* lorsque j'ai peint la glacière, » a dit Sanford Darling, qui a pris un pinceau au moment de sa retraite et qui a commencé à peindre des paysages et des scènes de ses voyages sur la plupart de ses meubles. Il a peint les chaises, les tabourets et même les poubelles. Il a recouvert tout l'extérieur de sa maison de telles scènes. Considéré comme *fou* par les gens, son désir de s'exprimer et son rejet du conformisme lui ont en tout cas apporté beaucoup de plaisir et de bonheur dans cette nouvelle région où il a passé la fin de sa vie. Vivant dans une région montagneuse absolument tranquille, ses peintures peu conventionnelles attirèrent des milliers de visiteurs. Il avait beaucoup de plaisir à les rencontrer et à leur raconter ses souvenirs ; à travers ses peintures qui couvraient toute la surface de sa maison, il promena ces étrangers à travers les différentes étapes de sa vie.

D'autres fois, notre hésitation à prendre un risque peut découler du fait que nous avons peur d'échouer, ou de notre ignorance de la situation. « Que va-t-il arriver *si...* ? nous demandons-nous. « Si je ne réussis pas, si je ne le fais pas bien, ou si quelque chose survenait ? » Lorsque les risques courus dans une situation donnée sont tels que nous nous sentons anxieux, la meilleure façon est de nous poser la question suivante : « Quelle est la pire chose qui pourrait m'arriver ? » Explorer les possibilités avec réalisme, voilà un bon moyen de nous rassurer, précisément parce qu'elles ne seront jamais aussi mauvaises que notre imagination aura voulu nous le faire croire : Demandons-nous plutôt : « Quelle est la meilleure chose qui pourrait m'arriver ? » Il faut alors peser le pour et le contre et foncer.

POINT 2

Penser aux succès passés pour raffermir sa confiance. Dans notre société, nos succès et nos échecs sont évalués par les standards des autres. Et la peur de prendre des risques est devenue une maladie endémique. Mesurez vos succès en fonction des buts que vous avez atteints et que les autres pensaient souvent impossibles ; faire la *bonne* chose peut être justement mauvais pour vous. Ce n'est pas un succès pour vous si vous devez épouser la *bonne* personne (selon vos parents ou vos amis). Pas plus que d'occuper un *bon* emploi choisi pour vous par vos parents, et qui vous donnera des ulcères d'estomac et de la haute tension toute votre vie tout en affectant vos relations de manières négative. Le succès tel qu'il est vu par les autres, ne peut que vous apporter des frustrations en termes de choses que vous auriez toujours aimé faire. Essayer de faire plaisir à tout le monde et à chacun à la fois, ce syndrome qui prévaut tant dans notre culture, est encore la meilleure façon de se détruire. L'évolution et l'accomplissement commencent avec une profonde analyse de soi-même, de ses engagements, évalués pour le meilleur ou pour le pire mais par soi-même.

Laisser évaluer nos succès par les autres nous empêche tout d'abord de reconnaître nos propres succès. Un homme que nous connaissons, lorsque nous lui avons demandé d'établir une liste de ses succès pour un test de personnalité, était incapable de penser à une seule chose qu'il avait pu faire de bien dans sa vie. C'est ridicule et c'est commun. Si nous voulions bien nous asseoir un instant et faire la liste de ces moments où, dans notre vie, nous avons fait quelque chose qui nous a apporté beaucoup de satisfaction, nous pourrions utiliser cette liste comme une *liste ressource* afin de restaurer notre confiance au moment de franchir de nouvelles étapes, de nous assurer que nous sommes capables de le faire. Essayez donc de vous souvenir des moments pendant lesquels vous avez réussi à résoudre un problème, créer quelque chose ou atteindre un but qui correspondait à vos propres désirs, quelque chose qui ne dépendait pas de l'approbation des autres. Oubliez vos *échecs*, et localisez votre attention sur vos succès. Alors, franchir une étape, ne sera plus un risque.

POINT 3

Imaginer son succès. Chaque athlète qui réussit — et spécialement celui qui pratique des sports individuels — imagine ses succès et se sert d'images. Notre esprit est un outil puissant et nous pouvons puiser en lui la force d'imaginer notre succès, imaginer que nous sommes ce que nous voulions être. Primitivement, c'est une technique qui nous permet d'obtenir une image positive de soi-même. Imaginer, ce n'est pas rêver ou être fantaisiste. C'est mesurer une situation réelle, même une situation que vous ne vivrez pas en vous imaginant vous-même dans une telle situation. La façon avec laquelle nous pensons, après tout, devient souvent une sorte de prophétie. Vous n'êtes pas seulement ce que vous êtes, mais ce que vous êtes est le résultat de ce que vous pensez pouvoir être. Si vous pensez : « je peux faire ceci, ou je sais que telle chose ne marchera pas, » il se peut bien que vous réussisiez ou que vous échouiez.

Comme un professionnel de golf établit son parcours dans son esprit, en étant conscient des difficultés qu'il rencontrera, vous pouvez utiliser votre imagination afin de vous préparer à faire face aux ennuis qui surgiront sur votre route. Vous serez plus en mesure de négocier avec les *ornières* qui surviendront quelquefois même en les oubliant complètement, d'autres fois en volant par-dessus elles vers le succès que vous voulez atteindre.

POINT 4

Garder quand même une ancre. Qu'il s'agisse d'une petite Ile des Caraibes, d'une petite maison d'été, d'un petit coin de paix, ou d'une vieille ferme, essayez quand même de garder une ancre quelque part.

Dans un sens psychologique nous avons aussi besoin de telles ancres afin de mobiliser toutes nos ressources quand tout arrive en même temps. Parce que, dans la vie, on ne peut tout changer à la fois. Si vos relations conjugales sont mouvementées, que votre fils aîné vient juste d'abandonner ses études, et que votre fille veut épouser un jeune homme *qui ne vous convient pas,* ce n'est certes pas le moment d'accomplir un grand changement dans votre carrière. Vous avez déjà à faire face à trois crises. C'est assez pour le moment.

Nous avons tous besoin de stress et de tension dans la vie afin de faire face à nos problèmes et à nous motiver. Mais trop à la fois, comme de récentes études l'ont démontré, cela risque de devenir intolérable. Si trop de changements surviennent à la fois, stress deviendra trop élevé, et quelque chose craquera certainement du côté de votre santé physique ou mentale. Ainsi que nous l'avons vu dans le chapitre destiné à faire en sorte que les crises travaillent pour vous, il est important, quand vous faites face à des crises multiples simultanées, de faire face à ces crises une par une, axant toute votre attention à la solution de la première avant de passer à la suivante. La solution d'une crise exige beaucoup d'attention et c'est la raison pour laquelle nous ne pouvons guère courir cinq lièvres à la fois.

Si vous êtes en train de changer de carrière ou de traverser une crise relationnelle, sachez vous arrêter. Retournez à d'anciennes activités coutumières, de vieux amis ou de vieilles habitudes familières qui vous occasionnent peu de stress. Ceci peut vous procurer un certain repos, un confort et une sensation de stabilité. En plus, avoir une petite ancre quelque part peut vous retenir un peu et vous aider à évoluer par demi-étapes. C'est le cas de ce monsieur dont nous avons parlé et qui voulait quitter New York pour s'installer dans une nouvelle région ; pendant quelques années il avait conservé son ancien emploi et cela lui avait réussi.

CHAPITRE X

CRÉER SES PROPRES DÉFIS

Réaffirmer sa compétence

Créer nos propres défis nous donne l'occasion de nous mettre à l'épreuve face à de nouvelles situations — et même d'examiner les anciens problèmes avec une vigueur et une vitalité renouvelées. Même si vous vous demandez pourquoi, actuellement, vous avez besoin de nouveaux défis, quand vous n'avez pas été en mesure de résoudre vos vieux problèmes, une telle attitude peut quand même recéler une valeur thérapeutique. En vous imposant un défi vous évaluez vos limites en fonction de la propre estimation de votre potentiel. Les risques que vous prenez sont définis par vous. Aussi, un tel défi est de nature totalement différente que ceux qu'une situation de crise a pu vous imposer dans des circonstances incontrôlables. Les défis que nous nous créons deviennent autant de pierres d'achoppement. Ils nous poussent à découvrir et à inventorier l'ensemble de nos compétences. Le défi est une étape de plus vers la maturité et la confiance en soi. Ainsi pouvons-nous faire face à la vie, à nos propres conditions.

Nous avons abordé quelques aspects du défi dans des chapitres précédents. Mais les défis de cette nature deviennent souvent une bouée de sauvetage par laquelle nous pouvons atteindre le succès. Lorsque nous décidons de suivre un régime ou d'arrêter de fumer, nous établissons nos propres défis dans l'espoir d'échapper à des habitudes que nous savons néfastes. Ordinairement, chaque journée apporte ces défis. Mais il n'y en a d'autres qui peuvent nous permettre de faire face à nos crises. Les crises, ainsi que nous l'avons déjà vu plusieurs fois, sont très liées à notre attitude. Par exemple, Louise, une femme dans la quarantaine, est divorcée depuis peu. — Ses enfants étaient grands et avaient leur propre vie. Elle n'avait pas à s'inquiéter au sujet de sa situation financière. Mais elle découvrit que sa nouvelle existence était vide. Pendant quelques mois elle fit en sorte d'être totalement occupée en dînant avec des amis plusieurs fois par semaine, visitant les galeries d'art et passant plusieurs soirées au cinéma, se promenant inlassablement dans les magasins et jouant au bridge pendant plusieurs nuits. Mais, même si elle s'occupait, elle n'était pas vraiment occupée. Sa vie lui semblait vide.

La réponse immédiate à sa crise : s'intéresser à quelque chose qui aurait pu donner un nouveau sens à son existence. Mais elle avait épousé son mari sitôt la sortie du collège et n'avait jamais occupé d'emploi. Elle était convaincue que personne ne voudrait jamais l'embaucher.

Pourtant, un beau matin, à l'épicerie, elle rencontra une voisine qui dirigeait une jardinière d'enfants. Cette femme, Mademoiselle B., était extrêmement ennuyée. Sa mère qui vivait dans un autre État, devait rentrer chez elle après un long séjour à l'hôpital. Mademoiselle B. qui souhaitait pouvoir demeurer auprès de sa mère pendant une semaine ou une dizaine de jours n'avait trouvé personne qui puisse s'occuper de cette jardinière — Noël approchait et chacun semblait avoir des projets précis qu'il ne pouvait modifier. Louise, sans trop réfléchir dit : « Est-ce que je peux faire quelque chose ? » Son offre fut largement acceptée. Elle avait eu deux enfants et c'était bien une chose dont elle avait une large expérience. Ainsi Louise s'était créé son propre défi.

Les dix jours qu'elle passa à cette jardinière furent des jours difficile et fatiguants. Or sa confiance en elle augmentait quotidiennement. Après cette expérience, Louise réalisa qu'elle pourrait faire une excellente institutrice, et qu'elle avait une connaissance particulière qui pourrait la rendre exceptionnellement utile. Elle décida de prendre des cours de pédagogie et elle occupe maintenant un emploi qui, non seulement lui donne un sens de sa propre valeur, mais aussi, un engagement à l'égard de quelque chose de plus large qu'elle même. Sa crise est passée depuis longtemps et elle pense souvent à ce qui aurait pu arriver si elle ne s'était pas mise à l'épreuve. Ce défi était pour elle une porte de sortie merveilleuse par laquelle elle découvrit sa voie réelle dans sa vie nouvelle.

Sortez donc de l'ornière

Les défis que l'on se crée peuvent aussi servir à nous faire bouger quand nous savons que nous devons trouver une nouvelle voie mais que nous ne semblons pas capables de faire les premier pas. Par exemple, Jim occupait un bon emploi auprès d'une firme de consultants qui lui rapportait $16,000 par an. Après quatre ans, ce travail était devenu routinier et quelque peu ennuyeux. Il voulait donc chercher autre chose qui utiliserait ses capacités artistiques et lui offrait beaucoup plus de chance d'avenir. Il découvrit qu'il lui était réellement difficile de passer à l'action. Il avait les yeux et les oreilles ouverts, attendant peut-être que de nouveaux emplois lui tombent du ciel. D'un autre côté, il gagnait bien sa vie, à ce moment.

Pourtant il voyait bien la crise arriver. Il n'était pas encore acculé au mur. Dans un an il le serait. De ce côté il ne fut pas particulièrement heureux ni malheureux non plus. N'empêche qu'il savait qu'il ne serait pas heureux tant et aussi longtemps qu'il ne ferait pas quelque chose qui lui apporterait beaucoup plus de satisfaction, qui utiliserait la plupart de ses talents. « Plus vite je me suis retrouvé face à moi-même, dit-il, et après m'être admis le fait que je n'aimais pas réellement ce que je faisais, j'ai commencé à voir les choses à plus long terme. » Il décida que le meilleur moyen de se galvaniser était donc de faire face à sa situation. Aussi abandonna-t-il tout simplement l'emploi qu'il avait, se mettant, de la sorte, au défi. Dans cette situation il était bien obligé de se trouver quelque chose.

Créer votre propre défi peut vous aider à sauter au-dessus d'une crise potentielle qui se prépare. D'accord, vous créer un défi dans une situation identique à celle de Jim c'est vous créer un problème additionnel. Vous devez avoir un degré considérable de confiance en vous pour agir ainsi. Mais les problèmes qui accompagnent généralement les défis que vous vous créez sont des problèmes que vous aborderez en toute connaissance de cause. S'il existe un élément de risque, vous êtes prêt à y faire face. Certains problèmes peuvent être moins graves que ceux que nous n'avions pas prévus, à l'égard desquels nous n'étions pas préparés. Si nous avons le courage de créer nos propres défis, de prendre des risques, cela démontre que nous sommes à notre point le plus fort. Et le meilleur moment de faire face à une crise, un peu comme dans le cas de Jim, c'est bien lorsque nous sommes à notre plus fort. S'il avait attendu une autre année, il aurait peut être été plus déprimé qu'à il décida de passer à l'action.

Les cas de Jim et de Louise démontrent bien comment nous pouvons créer nos défis à partir de matériaux qui nous sont fournis par notre existence quotidienne. D'autres, par contre, ont besoin de plus longues perspectives, d'un plus grand stimulus, et d'un terrain plus solide. Vous sortir d'une ornière, est, après tout, relatif. Un homme que nous avons rencontré dernièrement menait une vie professionnelle extrêmement rapide et pleine de défis. Il a choisi de pratiquer un sport extrêmement dangereux comme celui de descendre des rapides. « Ce défi est assez fort pour me permettre d'oublier les défis de mon travail, quelque chose qui me sort de mon cadre quotidien. Pour me sentir complètement absorbé j'ai besoin de quelque chose de totalement différent avec de nouveaux dangers et de nouveaux risques. »

Un défi familier et excitant que les gens se créent est de faire un voyage dans des pays inconnus et exotiques. Là, le besoin de développer de nouvelles attitudes et de faire face à l'inconnu prend le dessus. De nouvelles situations et des circonstances étranges font appel à de nouvelles ressources. Jadis, les jeunes faisaient traditionnellement appel à la mer. Aujourd'hui, nous avons besoin de nouveaux horizons — Chichester a traversé les océans en solitaire, des maîtresses de maison s'adonnent à la plongée sous-marine, une jeune femme traverse l'Afrique en voiture, un jeune homme enseigne au Vénézuela, un docteur fait partie de l'équipe hospitalière d'une ville de Tanzanie, un couple de soixante ans va participer au développement international, un jeune psychologue travaille auprès d'émigrants, un jeune couple va vivre dans les montagnes du Canada — Créer nos propres défis en allant dans des pays lointains où en s'adonnant à des occupations inhabituelles est plus dramatique que cela ne le paraît à première vue.

Et se créer un défi spécial dans un autre pays comporte des valeurs spéciales. Nous découvrons de nouvelles ressources et de nouvelles compétences dont nous n'avions pas imaginé l'existence dans notre situation ordinaire, simplement parce que notre ancienne situation n'avait pas à en faire appel. Quelquefois, nous découvrons une nouvelle direction dans la vie, une carrière ou un intérêt, alors que rien ne nous prédisposait à une telle *rencontre*. D'autres fois, de nouvelles découvertes nous réveillent et nous secouent dans notre existence ordinaire. Par exemple, un professeur d'archéologie que nous connaissons et qui n'était plus dans ce domaine depuis de nombreuses années, s'est vu offrir l'opportunité de se joindre à une expédition dont le but était de chercher des cités disparues dans le nord des Andes. En acceptant ce défi spécial, non seulement il découvrit un sens nouveau à ses compétences, une réaffirmation de sa personne et une vie exaltante, mais cela, également, changea de façon significative, ses idées à l'égard du concept de maturité. Ainsi qu'il le disait : « j'ai acquis une nouvelle perspective de ma vie et du futur. Au lieu de penser que je dévalais le bas de la pente comme une relique du *mythe de la maturité,* cette expérience m'a apporté du piquant. Particulièrement à mon âge, vous ne saurez jamais tout ce que ce défi a eu de positif et j'ai découvert que ce n'est pas l'âge mais l'esprit et le courage qui importent. »

De tels défis, que nous mettons à notre portée, peuvent présenter un autre stimulus d'évolution et d'apprentissage en dehors des crises — les défis surviennent dans les évènements les plus simples. Ils peuvent être ajustés à nos besoins et à nos capacités. En fait, nos relations personnelles peuvent nous fournir beaucoup plus de défis et d'opportunités d'évoluer que les plus grands exploits. La confrontation, au jour le jour, entre des parents et des enfants, entre un mari et une femme, peut donner l'impact du défi et un puissant stimulus d'évolution, si nous sommes suffisamment ouverts pour l'accepter.

Le défi dans toute sa signification

Ironiquement, notre société qui crée tant de crises inopportunes, ne réussit pas à nous fournir suffisamment de défis. Dans les sociétés les plus primitives, passées et présentes, de nombreux rites de passage entre l'adolescence et la maturité et entre certains niveaux de statuts dans le cadre de la hiérarchie des adultes donnent, à l'individu, une mesure de lui-même à l'égard des standards sociaux les plus communs. Notre société manque, généralement, de défis de ce genre. En fait, la société moderne mécanisée et homogénéisée restreint de plus en plus le nombre et la variété des défis qui nous sont ouverts à un niveau individuel. Les concours de beauté, les manifestations sportives et les cérémonies académiques nous fascinent parce qu'à travers eux nous pouvons expérimenter une sorte de défi qui est, généralement, refusé à la plupart d'entre nous, en tant qu'individu.

Les conditions sociales qui restreignent nos chances de défis personnels nous poussent à chercher ailleurs de nouvelles formes de mesures. Cet aspect est beaucoup plus apparent quand on observe les jeunes dans notre société. Ils voyagent à travers le monde avec un sac-à-dos, abandonnent l'école et se créent de nouveaux styles de vie dans un perpétuel espoir d'expériences authentiques par lesquelles ils peuvent s'affirmer. En dehors de ce besoin de défi, ils créent leur propre odyssée contemporaine. Quel que soit notre âge, la vie comporte un sens d'odyssée réel que chacun d'entre nous devrait découvrir.

En chacun de nous il y a un désir et un besoin de défi. Lorsque la société est incapable de répondre à de tels désirs, lorsque nous commençons à nous sentir rouillés et fatigués, nous sommes souvent obligés de créer nos propres défis afin de continuer à avancer. Gordon Rattray Taylor a dit : « lorsqu'un défi à long terme a été atteint... la lumière baisse, et nous commençons à établir de nouveaux plans en fonction de nouveaux buts. Et lorsque nous regardons derrière nous, nous voyons l'ensemble de ce qui maintenant nous apparaît comme de bons moments... C'est pour cette raison que les hommes font du bateau, escaladent des montagnes et abordent d'autres défis, mêmes intellectuels. »

Mais, notre société confond crises et défis. Il y a beaucoup de crises auxquelles nous sommes capables de faire face, et d'autres, par contre, qui nous dépassent. Au point que l'idée de défi en est arrivée à effrayer la plupart des gens. Comme résultat, la plupart d'entre nous perd beaucoup de temps à éviter les défis, tout en s'en fabriquant à sa propre mesure. C'est ainsi que les meilleurs défis sont souvent évités. Si vous n'êtes pas capable de nager quelques longueurs à la piscine locale, n'essayez donc pas de traverser la Manche à la nage. Mais, si nous évitons tous les défis, nous cessons également d'évoluer ; à telle enseigne, qu'il serait préférable que nous mourions. Plus nous relèverons de défis, plus nous évoluerons et les plus grands défis du futur seront relevés avec succès. L'homme et la femme qui brûlent leur énergie à éviter des défis perdent simplement une bataille contre leur évolution et leur changement. Nous devons affronter des défis pour évoluer, et nous devons évoluer pour nous réaliser. Sans défi nous devenons frustrés. Si nous n'évaluons pas notre compétence, si nous ne nous trouvons jamais rien de bon à faire, nous devenons inévitablement décadents. L'erreur que la plupart d'entre nous faisons est d'essayer de prouver notre compétence relativement à l'opinion des autres quant à notre potentiel, plutôt qu'en termes de ce qui est véritablement important. Créer nos propres défis, c'est comme nous mesurer en toute solitude, face aux défis que les circonstances et la volonté des autres nous imposent. Cela peut nous aider à éviter les limitations arbitraires *du mythe de la maturité*. Par chaque défi que nous nous créons et que nous relevons avec succès, nous apprenons à mieux nous connaître. Chaque jour nous offre le moyen d'observer quelques aspects de la vie à partir d'un nouveau point de vue, et aussi d'élargir notre vision des choses. Ainsi, *changer de vitesse* n'est pas seulement un moyen de résoudre une crise, c'est simplement un moyen de rencontrer la vie de tous les jours avec une attitude courageuse et ouverte à l'égard de tout ce qui peut nous être donné, tout en multipliant les dimensions de notre existence. Nous apprenons comment nous concentrer et comment faire de meilleures mises au point. Et nous apprenons comment *changer de vitesse*, à notre propre mesure, et selon nos propres besoins, en dépit des aspects les plus graves de nos crises.

CHAPITRE XI

LES RELATIONS

Vers de nouvelles formes de relations

Dans le passé, nos relations nous permettaient de créer une forteresse à l'intérieur de laquelle nous étions en sécurité. Nous appartenions à une certaine classe, à une famille, à une Eglise. Le réseau parternaliste et autoritaire nous fournissait tout un contexte dans lequel nous étions en interaction avec les autres. Parce que ce contexte était premièrement basé et en conformité avec les demandes extérieures et l'approbation des autres, il créait souvent en nous une dépendance excessive, nous apportant néanmoins un certain confort et une apparence de sécurité.

Nous avions un sentiment d'appartenance à une zone géographique. Nos besoins de sécurité, d'estime et de reconnaissance étaient conditionnés par ces racines sociales et territoriales.

Par le fait que les changements qui sont intervenus dans notre société ont modifié le contexte de nos relations, il devient plus difficile et même, quelquefois, impossible d'entretenir avec les autres des relations heureuses ; mais, dans notre monde contemporain de crises et d'évolution, nous avons besoin de quelque chose de plus que des relations qui ne seraient qu'un contexte meublé de dépendances toutes faites. Nous avons besoin de relations susceptibles de nous aider à évoluer et à nous supporter nous-mêmes, en même temps que de nous procurant un sentiment de sécurité. La crise culturelle, ainsi que nous l'avons vu, a éveillé de nouveaux besoins et a créé la nécessité, pour nous, de devenir plus autonomes, déterminés et auto-suffisants. Nous devons *changer de vitesse* en écartant les vieux concepts de relations et en développant, malgré tout, un concept de relations qui nous offre ce pouvoir d'être auto-suffisants. Nos relations d'aujourd'hui ne peuvent être que vitales et soutenues par le fait qu'elles nous donnent le courage et la possibilité d'évoluer : chacun de nous reçoit, des autres, le support nécessaire à son évolution et accorde, aux autres, le support dont ils ont besoin pour leur propre évolution.

Dans une crise culturelle dans laquelle les vieux supports se sont désagrégés, nos besoins d'auto-développement sont devenus presque essentiels. Nous sommes aveuglés par *le mythe de la maturité*. Nous entrons dans des relations d'adulte, et spécialement par le mariage, espérant qu'elles nous fourniront nos besoins de dépendance, qu'elles nous fourniront la même sorte de sécurité que nos parents nous donnaient dans un monde différent. Beaucoup d'entre nous ont grandi dans des familles dans lesquelles nos besoins d'estime, de confiance en soi, d'amour et d'attention n'étaient pas suffisamment satisfaits. Nous plongeons dans un monde qui n'est, finalement, pas mieux. Ce qui ne nous empêche pas d'atteindre nos buts dans le même type de relations qui existait pour nos parents, mais qui n'est simplement plus adéquat face aux pressions du monde d'aujourd'hui. Ayant perdu le sens de soi-même, nous sommes à la recherche de quelqu'un qui pourrait combler ces déficiences, quelqu'un qui pourrait jouer le rôle de *papa* ou de *maman* à notre égard. Nous utilisons fréquemment nos amis en fonction de nos besoins déficients et alors, lorsque contre toute attente, ces besoins ne sont pas satisfaits par le partenaire que nous avons choisi, les relations se désagrègent. Nos besoins déficients sont comme des puits vides qui ne peuvent jamais être remplis par d'autres. Si vous ne croyez pas en votre propre compétence, si vous avez peur de la vie, si vous épousez une personne forte dans l'espoir de compenser ce que vous percevez comme un vide, n'espérez pas devenir fort *par association*. En fait, vous confirmerez probablement votre propre faiblesse : « je le savais, » vous direz-vous lorsque votre partenaire vous manipulera et vous obligera à agir à sa guise.

Parce que personne d'autre ne peut combler nos déficiences, nous pouvons nous libérer d'eux au travers de notre évolution personnelle, cherchant ailleurs les aspects de soi-même les plus enrichissants. La vieille relation de dépendance étouffe une telle découverte de soi. Mais cela ne veut pas dire que nous sommes obligés de fuir les autres dans l'espoir de nous trouver — nous avons justement besoin de nouvelles sortes de relations. Si nous ne réussissons pas à comprendre cette distinction, nos relations deviennent fréquemment des commodités. Nous *louons* un rendez-vous avec quelqu'un que nous ne reverrons jamais plus comme nous louons une automobile. Nous allons, sans fin, d'une relation à une autre, tout comme d'une valeur à une autre, ou d'un style de vie à un autre. Le mariage d'hier, basé sur les convenances, a cédé la place à des relations *jetables* un peu comme des boites de conserves vides.

L'homme ne vit qu'au travers de ses relations sans lesquelles il n'aurait pas de contact avec le monde extérieur. Les relations, dans le sens le plus large de ce mot, fournissent à l'individu, un contexte. Elles répondent à notre besoin de base d'un sentiment communautaire à l'égard des autres, un besoin de relations personnelles plus intimes et plus profondes, ou un besoin de relations d'idées, de valeurs et de croyances. C'est le moyen par lequel nous pouvons exister en contre-point du monde qui nous entoure.

Nous ne pouvons pas évoluer dans des relations dépendantes. Mais évoluer sans relations n'est guère mieux. Nous avons besoin de cette interdépendance qui conduit au partage de nos dépendances et de nos besoins avec les autres de manière à nous aider à faire face à ces besoins réciproques. Nous avons besoin d'émotions, nous avons besoin de connaître la tension de quelqu'un d'autre à notre égard, nous avons besoin d'amour autant que d'être aimé et nous avons aussi besoin d'évoluer. Notre liberté de grandir, quoiqu'il en soit, ne découle pas du refus d'entrer en relatin, mais existe en dépit de notre propre capacité de devenir soi-même dans nos relations. Les nouvelles formes de relations dont nous parlons sont, non seulement essentielles pour se réaliser et évoluer, mais encore elles doivent exister entre parents et enfants. Le conflit ds générations reflète l'inhabileté de la plupart des parents et des jeunes à franchir ce cap mutuel de façon commune face aux changements de la société. Nous avons tous à apprendre des autres. Les parents ont une plus grande expérience ; mais les enfants, parce qu'ils sont nés en pleine crise culturelle, sont souvent plus conscients de ces impacts et de ces significations que leurs parents. De nombreux parents, incapables de comprendre cette recherche d'identité de leurs enfants, son également incapables de leur fournir le support affectif qui leur est essentiel. D'autres sont si perdus, si isolés, qu'ils sont incapables de partager avec leurs enfants. Et les enfants — chacun avec sa voiture mais sans lieux précis où aller — sentent qu'on n'a pas besoin d'eux qu'ils sont mal aimés et solitaires. Les parents et les enfants ont besoin les uns des autres de la même manière que les adultes ont besoin de d'autres adultes.

L'attention : l'ingrédient essentiel

Un des ingrédients essentiels dans un nouveau concept de relations est l'attention : l'attention à l'égard d'autrui dans un sens qui peut aider chacun à évoluer tout en se sentant supporté.

Dans nos relations avec les autres nous avons besoin d'amour. Mais l'amour, ce n'est pas assez. Tout le monde sait ; comme Maslow l'a dit : « le problème de l'amour c'est de penser qu'il est éternel et qu'il existera toujours. » Tandis que l'amour est la base fondamentale de notre évolution, il y a d'autres besoins qui émergent et qui ne peuvent être satisfaits qu'au travers du seul amour.

Nous avons besoin d'une compatibilité qui soit la base de nos relations. Mais, comme avec l'amour, nous avons des besoins à satisfaire au-delà de cette compatibilité. Nous ne pouvons pas devenir nous-mêmes tant que nous entretenons une relation dans laquelle nous ne partageons pas certaines idées fondamentales et dans laquelle nous partageons et nous apprenons à partir de nos différences. Partager et apprendre depuis les différences de quelqu'un d'autre, c'est une forme de tolérance à l'égard d'autrui. « Ce n'est pas seulement un acquiescement aveugle qu'une personne normale désire, dit le psychologue Nathaniel Branden, ni un amour inconditionnel, mais la compréhension. » Nous avons besoin d'un *feedback* actif, de la connaissance de nos intimes, de nos désirs, de nos croyances, de nos sentiments et de nos émotions. Ce que chacun d'entre nous souhaite par-dessus tout c'est qu'autrui attache beaucoup d'importance aux raisons qui se cachent derrière nos émotions.

C'est cette forme d'attention que nous réclamons dans nos relations d'aujourd'hui. Tout, dans ce livre, a été écrit pour vous aider à vous guider dans votre vie, à devenir plus autonomes, plus déterminés. Mais l'essence même de l'attention est d'aider ceux que vous aimez. En adoptant votre propre rythme dans la vie vous deviendrez davantage vous-même. En aidant quelqu'un d'autre à trouver son propre rythme, à devenir davantage lui-même ou elle-même, vous démontrerez combien vous les aimez. Pour que chacun d'entre vous devienne lui-même, chacun de vous a plus que lui-même à donner aux autres dans une relation intime. Nous ne pouvons pas donner nos déficiences, mais seulement nos forces. Plus ces forces seront grandes, plus vous pourrez donner sans vous diminuer.

Alors, dans des relations dans lesquelles les deux parties évoluent, dans lesquelles chacun des deux partenaires est capable de *changer de vitesse,* dans lesquelles chacun des deux éléments devient plus conscient, chacun retirera toute l'expérience de son unicité et apprendra à aller plus loin. Il y a un équilibre délicat entre notre assurance et notre attention qui ne peut être maintenu qu'en respectant l'intégrité d'autrui. Chacun de nous a une essence de soi qui constitue la voie unique de réponse à la vie — une mosaïque de notre passé et de notre futur potentiel, de nos expériences et de nos espoirs, de notre réalité et de notre imagination. Quand l'attention existe, elle se développe et enveloppe tout changement et toute évolution.

Mais, quelle que soit la manière avec laquelle nous portons attention aux autres, nous ne pouvons guère embrasser leur évolution à leur place. Par notre attention, nous devenons un facteur important de l'évolution d'autrui. Or, l'essentiel de ce travail d'évolution doit être pris en main par l'autre. Chaque personne veut agir selon son propre style de développement personnel. Pour certains, cela sera très facile et le processus évoluera sans encombre. Pour d'autres, cela peut être plus difficile. Quelquefois nous devons faire suffisamment attention pour éviter quelques naufrages qui peuvent accompagner l'évolution. « Nous montrons notre perte de confiance en essayant de dominer et de forcer les autres à entrer dans un moule ou en exigeant des garanties qui ne peuvent être fournies, » disait Mayeroff.

Quand un enfant tombe et se blesse au genou, la mère arrive en courant et dit : « Et maintenant, ne pleure pas, ça ne fait pas mal ! » L'enfant sait pourtant que ça fait mal. Il serait beaucoup plus honnête et attentionné de la part de la mère de dire : « Je sais que ça fait mal, mais bientôt tu ne le sentiras plus. » C'est une forme d'honnêteté, de sympathie, de réalité, de courage, d'espoir et d'attention. Porter attention, c'est laisser l'enfant faire ses propres erreurs et lui accorder par la suite tout l'encouragement nécessaire. Porter attention, c'est aider autrui à évoluer. Nous ne pouvons pas évoluer tant et aussi longtemps que nous n'acceptons pas nos sentiments. Tant que nous ne connaissons pas et n'acceptons pas nos sentiments et nos émotions, nous ne pouvons pas évoluer. Dans un monde dans lequel *le mythe de la maturité* a fermé la porte à toute émotion, on nous a toujours dit de restreindre ces émotions.

L'attention, c'est également d'encourager quelqu'un à faire ce qu'il a envie de faire ; non pas ce que vous voudriez qu'il fasse — l'encourager à agir en accord avec la voie qu'il a choisie ; pas la voie que vous pensez qu'il aimerait suivre. L'attention, c'est d'écouter et d'essayer de comprendre le problème d'une autre personne, la joie qu'elle a ; et plus que tout, de lui permettre de s'exprimer.

Évolution mutuelle

Une relation d'évolution mutuelle implique le respect réciproque de l'identité, de l'égalité et de l'intégrité de l'autre, où il y a de la flexibilité, assez de communauté et assez de solitude. C'est une relation dans laquelle la confiance grandit au travers d'un désir de partage des joies et au travers d'une communicatin honnête. Avec la clé de la confiance, nous pouvons ouvrir de nouvelles possibilités vers de nouvelles découvertes, tant pour nous-mêmes que pour les autres.

Avec ces qualités, nous devenons plus profondément impliqués dans l'évolution d'autrui. Nous mettons nos similitudes à notre service réciproque.

Lorsque nous percevons que ces différences sont désirables, apprenant et évoluant au travers d'elles, nous venons d'ajouter de la joie dans l'échange. Mais les relations humaines ne sont pas toujours aussi simples. Chacun de nous peut percevoir des différences diverses, des qualités ou des attitudes qui, chez les autres, ne nous plaisent pas. Ou bien nous pouvons percevoir certains changements qui, chez les autres, ne nous satisfont pas. Mais nous évoluons également en fonction des impasses dans lesquelles ces différences peuvent nous conduire. De telles avenues fermées réclament du courage, de la vérité, de l'honnêteté, de l'effort.

L'amour crée un lien. L'évolution de chacun entraîne l'évolution des deux. Dans ce type d'évolution synergétique, deux personnes peuvent évoluer beaucoup plus vite que si elles étaient seules, chacune d'entre elles conservant son autonomie. Ce concept, développé dans notre livre précédent, peut être, nous le croyons, exprimé ainsi : « je suis grand, tu es grand, et tous ensembles nous sommes plus grands ! » Mais bien souvent c'est l'effet contraire qui se produit. Lorsqu'un des deux partenaires commence à tirer l'autre vers le bas, le résultat est nécessairement négatif : les qualités ou les attitudes négatives de chacun entraine l'autre dans une spirale descendante qui peut détruire leurs relations.

Chacun de nous a une très grande capacité d'attention et, ainsi, il n'est pas facile de développer ou, quelquefois, de trouver quelqu'un d'autre avec qui nous pouvons avoir une relation d'évolution mutuelle. L'évolution mutuelle est quelquefois aussi douloureuse et difficile que joyeuse. Mais, quand chacun des deux partenaires *essaie* de son côté, on peut faire des miracles. Chaque petite étape en avant nous prépare à en faire une autre ; chaque pas nous donne plus de confiance en nos possibilités de grandir et en notre capacité d'aimer.

L'évolution personnelle de deux personnes s'aidant mutuellement ne ressemble pas à une relation parallèle de deux personnes, chacune axée sur son propre développement personnel. Nous confondons souvent les deux. Dans notre crise culturelle, nombreux sont ceux qui ont échoué dans la recherche de leur accomplissement au travers des fausses promesses faites par le *mythe de la maturité*. De telles personnes sont tellement en recherche d'elles-mêmes qu'elles perdent tout. Elles transforment leurs besoins en une sorte d'hyper-individualisme qui écarte toute interdépendance avec autrui. La philosophie du « Fais tes trucs et moi les miens... et pour le reste tant pis », en est le résultat.

D'ailleurs, nous pouvons étudier les résultats de cette philosophie tout autour de nous dans cette crise culturelle. Pour quelques-uns, vivre seul est comme un symbole de courage et d'indépendance. Les métiers et les carrières ne deviennent plus que des occupations accomplies avec indifférence. Les gens évoluent les uns à côté des autres : en autant qu'il y ait évolution. Et quand les choses deviennent compliquées, au cours de la transition d'une période à une autre, les gens pensent qu'il est temps de laisser tomber cette relation et de voir ailleurs.

C'est donc par l'attention, tant pour nous que pour les autres, que nous pouvons faire pleinement jouer les ressources de notre potentiel. L'évolution mutuelle par l'attention, l'intimité et la synergie nous aident à développer une sorte de support qui encourage la liberté de chacun.

Intimité

L'intimité est une façon de comprendre les besoins de repli d'autrui. L'intimité, c'est porter également suffisamment d'attention, nous ouvrir nous-mêmes à l'égard des autres — en faisant l'effort et en prenant le risque de nous ouvrir à autrui. Notre culture a déformé l'idée d'intimité en la rattachant nécessairement à la sexualité ! Deux conclusions erronées découlent de cette déformation : premièrement, une relation intime doit inclure la sexualité, et, deuxièmement, cette idée de sexualité implique l'intimité. La sexualité est, bien sûr, un des sens par lesquels nous exprimons nos sentiments d'entière et de profonde intimité. Mais ce n'est pas un facteur essentiel d'intimité.

Le facteur essentiel d'intimité est l'*ouverture* : ma capacité de m'ouvrir à vous, votre capacité d'écouter, de vous ouvrir à moi, ma capacité de vous écouter. C'est cette intimité qui peut nous permettre de partager nos émotions. Elle fournit un climat réceptif permettant d'écouter chacun, de nous encourager dans notre évolution mutuelle et d'aider chacun à faire ses propres découvertes. Lorsque nous exprimons nos sentiments, nos perceptions et nos expériences du monde, ils deviennent clairs dans notre esprit et prennent un autre sens à nos yeux. Dans un climat de confiance, nous pouvons suffisamment être ouverts pour chercher cette nouvelle compréhension personnelle et pour partager cette intimité. Si nous aidons autrui à comprendre nos points de vue individuels et personnels, ainsi que nos sentiments, nous aidons les autres à évoluer et à découvrir de nouvelles voies dans l'action et leurs interactions avec le monde extérieur.

Lorsque le cycle complet d'ouverture n'existe pas et que la confiance n'est pas mutuelle, trois types de situations absolument improductives peuvent surgir :

1) La personne qui s'ouvre ne fait pas attention aux personnes à qui elle s'ouvre. Ce genre de besoin est si grand que ces personnes disent *tout* sans tenir compte de la manière avec laquelle cette *ouverture* sera reçue, comment elle affectera les gens, ou si les gens qui sont en face sont capables de lui répondre. C'est simplement utiliser les autres comme un réceptacle et le receveur comme un objet.

2) La personne qui reçoit ne prête aucune attention. Le receveur, dans cette situation, ne mérite pas la confiance qui est placée en lui. Et dans une telle situation, celui qui s'ouvre se sent extrêmement vulnérable.

3) Personne ne prête attention à ce que dit la personne qui s'est ouverte. Il n'existe aucune intimité. Si une personne s'ouvre, c'est un monologue ; si les deux s'ouvrent, c'est une cacophonie. Si aucune des deux personnes ne s'ouvre, c'est une relation vide, basée sur un échange superficiel. C'est le silence.

Ces situations conduisent à une crainte de s'engager. Et la crainte de s'engager conduit à un rejet de la relation comme moyen d'évolution et d'accomplissement. Trop souvent, nous abandonnons facilement lorsque nous rencontrons des situations comme celles que nous venons de citer.Nous prêtons attention mais nous ne nous ouvrons pas ; ou alors nous établissons une ouverture limitée et conditionnelle. Mais c'est mieux ainsi. D'autant plus qu'on ne peut s'ouvrir à n'importe qui. Mais, en présence de notre ami le plus intime, nous avons besoin d'être en confiance, de pouvoir nous ouvrir librement. Lorsque nous pouvons le faire, cela rend notre évolution beaucoup plus simple.

Il existe également une forme d'intimité que nous pouvons expérimenter avec quelqu'un d'autre et qui ne requiert aucune parole. Il arrive que nous soyons placés avec autrui dans des moments de silence dans lesquels nous réussissons à nous comprendre sans parler. Il peut s'agir de moments de joie, de bonheur, de peine ou d'angoisse. C'est une connaissance tacite d'autrui. Quand l'un des deux, ou les deux à la fois ont de la peine ou du doute, cette intimité du silence et de la compréhension est spécialement valable en fait d'évolution. A travers elle, nous pouvons exprimer notre respect, l'intégrité d'autrui. Nous ne pouvons pas prétendre connaître la nature des pensées d'autrui. Mais à travers notre compréhension positive et notre affirmation silencieuse, nous partageons une intimité de compréhension qui transcende le silence.

Donc l'intimité, mise en oeuvre par le biais de nos ouvertures réciproques est une part intégrale de notre engagement et de notre évolution dans nos relations.

Ton changement, mon changement

Que se passe-t-il dans une relation quand vous commencez à *changer de vitesse*, à changer, à trouver votre propre sens, à résoudre vos problèmes, à devenir plus serein et à prendre vos propres décisions ?

Lorsque vous changez, il se crée une frontière qui est la conséquence de votre changement au sein de vos plus proches relations. Il se peut que votre changement soit difficile à accepter pour un partenaire qui est insécure. Vous pouvez vous trouver dans une situation dans laquelle ce message caché venant de l'autre est finalement très clair : « Je ne veux pas évoluer parce que je ne le peux pas ; j'ai peur de tout changement en moi-même. »

Si cela vous arrive, vous-même aurez à prendre une décision qui, dans le cours de cet acte, est très importante pour vous.

1) Faire demi-tour et revenir à son ancienne position ;

2) Couper la poire en deux ;

3) Prendre le risque de changer et aider son partenaire à changer à son tour.

Si vous choisissez la première solution, il pourrait être bon de vous souvenir qu'un partenaire ne peut pas vous obliger à revenir en arrière, à moins que vous acceptiez. Vous êtes alors des partenaires en relation contrôlée. Si vous essayez de le contrôler, vous perdez le contrôle de vous-même. S'il essaie de vous contrôler, et qu'il y réussit, alors vous venez de perdre vos initiatives. Personne n'a le droit de vous interdire de changer ou d'évoluer. Si quelqu'un le fait, alors il essaie de détruire la vie elle-même. Il exprime sa propre peur, mais pas la vôtre.

Si vous choisissez la deuxième solution, si vous décidez de couper la poire en deux, vous n'êtes pas seul, ainsi que nos statistiques de divorce en perpétuelle augmentation le démontrent. Rompre des relations dans n'importe quel secteur est devenu *une habitude nationale.* Cette deuxième possibilité, mettre fin à une relation, a autant d'aspects positifs que négatifs. S'il est impossible d'aller plus loin à cause de l'angoisse, de la résistance ou de l'amertume, alors la séparation peut sembler être la seule solution possible. Inévitablement, deux personnes changent, même sans direction conciente ; les couples ont pu être mal assortis et avoir été établis sur une disparité de personnalité, d'espoirs mitigés. Quoiqu'il en soit, nous devons être conscients du fait que la séparation est trop souvent une solution facile, plus facile que faire face à soi-même, que de négocier avec les relations que nous avons. Blâmer la relation, blâmer le partenaire ou blâmer le passé peut être qu'un écran de fumée. Mais aucun de nous ne peut contrôler tous les facteurs et les circonstances de la vie, ou la volonté des autres. Il est clair que, quelquefois, la séparation est nécessaire.

D'un autre côté, nous connaissons tous des gens qui ont découvert un *nouvel horizon* d'eux-mêmes ou redécouvert leur identité personnelle à la suite d'un divorce ou d'une séparation. Une telle crise peut appeler de nombreuses ressources inconnues et stimuler le courage de chercher un égo renouvelé. Des années plus tard, quelques anciennes épouses ou maris ont été capables de regarder vers le passé et de dire : « C'est la meilleure chose qui me soit arrivée. » La tragédie, c'est que le renouveau n'arrive qu'après la rupture de la relation et qu'il ne peut guère être revitalisé longtemps.

La meilleure solution est encore la troisième. Aller de l'avant avec votre changement, confiant que votre nouveau statut pourra vous aider à comprendre et à encourager gentiment votre partenaire à évoluer. Porter attention à soi-même et à notre autonomie nous donne la possibilité de voir plus clairement les besoins des autres en cas de changement. Commencer à penser et à agir pour soi-même peut vous permettre d'aider davantage votre partenaire, l'aider à évoluer selon son propre rythme. C'est en se tenant debout, ou en adoptant notre propre rythme de vie, que nous augmentons nos possibilités d'attention à l'égard des autres. Si l'attention et l'intimité existent dans nos relations, alors n'importe quel changement peut être accompli et deviendra une réaffirmation de notre amour et de notre engagement.

Les relations temporaires

Les relations temporaires ne doivent pas être confondues avec des relations sans engagement. Dans notre monde actuel, il existe des relations temporaires, des relations à court terme et à long terme. Il y a également des relations engagées et des relations qui ne le sont pas. Les relations à long terme peuvent ne pas comporter d'engagement ; une relation à court terme ou une relation temporaire peuvent en avoir.

L'engagement dépend généralement des dimensions de temps et de continuité dans une relation — le temps qu'il faut pour connaître quelqu'un d'autre, le temps qu'il faut pour passer au travers d'une myriade d'expériences de vie, avoir des enfants, aimer une nouvelle expérience, relever des défis ensemble, connaître le désespoir, la joie, la mort, des épreuves et des situations extraordinaires. Nul ne peut refaire tout ce qui a été fait avec chacun. Mais il existe d'autres dimensions de l'engagement.

Si, à cause de la mobilité, la vie moderne nous force à vivre des situations dans lesquelles nous ne pouvons guère nous payer le luxe de développer des relations à long terme, nous sommes bien obligés de concentrer nos efforts à trouver les valeurs et les moyens nécessaires qui rendent les relations temporaires, ou à court terme, agréables. Le divorce, la mort, les déménagements, les lieux et les circonstances diminuent considérablement nos chances de relations à long terme — que ce soit avec notre marchand de légumes, notre pharmacien, notre employeur, nos amis, nos familles ou nos copains. Mais les relations temporaires ou à court terme sont là pour demeurer.

Parce que les relations temporaires ont un début et une fin, elles ont une qualité et une valeur spéciale. Vous pouvez être lié aux autres de manière à ne pas l'être entièrement si vous savez que vous ne rencontrerez pas cette personne de façon régulière ou sur une longue période. Nous apprécions la liberté que cette relation nous donne. Elle nous permet dêtre plus ouverts et plus spontanés, moins cachés derrière les masques de notre existence. Nous sommes nouveaux pour chacun, sans passé : sauf celui que nous trimbalons dans cette relations là. Nous pouvons acquérir de nouvelles formes de perception de nous-mêmes parce que nous sommes placés dans une nouvelles formes de perception de nous-mêmes parce que nous sommes placés dans une nouvelle situation qui n'a pas de restriction. Dans les relations temporaires, vous télescopez le temps — votre passé, le présent et le futur. Rejeter le superflus et le superficiel permet de vous concentrer sur ce que vous partagez dans cette courte période, sans tenir compte de vos expériences passées ou des problèmes de votre futur. Vous existez dans l'intensité et la manière du temps que vous passez avec l'autre. Vous pouvez être libre de conceptions culturelles déterminées, libre de jouer un rôle, libre de votre âge, de votre sexe ou de votre statut. Comme une jeune femme le disait : « De telles relations sont merveilleuses parce que vous n'avez pas à corriger vos défauts et vous pouvez être vous-même, à chaque fois. »

Mais ces relations peuvent également comporter un engagement. En dépit de l'aspect flottant de votre temps accorder à cette relation, vous pouvez être engagé à respecter l'intégrité de l'autre, l'intégrité et l'authencité de votre vis-à-vis. Vous pouvez être engagé à être beaucoup plus identique, sans artifice et sans prétention, même avec dévotion, pour la durée du dialogue qui s'est installé entre vous. Dans les trois ou quatre carrières que nous choisirons dans le futur, au travers des changements de nos styles de vie, de nos occupations, de nos endroits de résidence et de nos intérêts, nous pouvons trouver le moyen de développer une habileté à faire en sorte que nos relations temporaires soient moins superficielles et moins riches quant au partage des valeurs et des découvertes.

Le *mythe de la maturité* nous a lavé le cerveau en nous faisant croire que seules les relations à très long terme comportaient des valeurs et, de notre part, des engagements. Mais ceci est une attitude qui peut être modifiée si nous évaluons l'authenticité et les qualités spéciales des relations temporaires. Les relations à long terme offrent une sorte d'attention et de chance de développement que les relations à court terme n'offriront jamais, quel qu'en soit l'engagement. Chacune d'elles est différente, a une intégrité et une valeur qui lui est propre. Mais en partant du principe que tout échange mutuel est essentiel à notre évolution, nous pouvons essayer de trouver, dans nos relations, quelque chose, n'importe où.

Les amis

Les bons amis sont rares, tout le monde vous le dira. L'amitié requiert beaucoup des mêmes qualités que celles qui sont nécessaires aux relations. Honnêteté, bonne communication, respect d'autrui. Lorsque nous avons fait une bonne rencontre, que nous avons partagé dans l'intimité nos sentiments les plus profonds, que nous avons gagné le respect et l'affection qui caractérisent une réelle relation, elle peut durer toute la vie. Quelle que soit la distance ou le temps, il y a un lien entre nous. On peut être ensemble, ou à part, dépendant de nos besoins ; mais lorsque nous sommes à nouveau réunis, nous pouvons sauter par-dessus le temps passé et reprendre le débat où nous l'avions laissé, si nous avons évolué chacun de notre côté bien sûr, mais dans la même direction. Il y a des liens qui existeront toujours entre de vrais amis même si, dans le processus de changement, l'un a évolué et l'autre non, si les intérêts ont divergé. Cette amitié, changera quand même. Lorsqu'on retrouve un bon ami après une absence, on peut réaliser qu'on a fait un bond plus long dans le sens de notre développement que lui. On note que ses idées sont à peu près les mêmes que celles qu'il avait avant, les mêmes phrases reviennent comme un disque et, soudainement, vous comprenez que votre relatin tire à sa fin. Il ne comprend pas ce que vous dites. Nous pouvons lui résister, mais c'est quand même inévitable. Nous faisons l'expérience du sens profond de la perte si familière de tout ce que nous laissons aller à sa propre vitesse — notre adolescence, l'endroit que nous avons aimé, une vieille habitude, une pièce confortable. Le sens de la perte peut être particulièrement poignant s'il s'agit d'un ami.

Nous avons des milliers de copains mais peu de vrais amis. Les vrais amis sont ceux que nous choisissons librement. C'est pour cette raison qu'ils jouent un rôle si spécial dans notre vie. Ils nous procurent de la joie, du confort. Parce qu'elle est limitée à des périodes de temps très courtes, l'amitié nous donne un souffle d'intensité. Elle peut encore nous offrir un autre contexte d'évolution. Comme il y a plusieurs genres d'amitiés, nous aimerions en passer que trois en revue, spécialement importants quant au processus de *changement de vitesse.*

Comme nos premières relations, les amis ne sont pas simplement là pour vous réconforter et vous supporter ; ils sont des liens qui vous relient au monde, qui vous conduisent à l'évolution. Il y a un besoin spécial aujourd'hui pour ce que nous appelons les *feedback amicaux.* Ce sont des amis que nous respectons beaucoup et dont l'opinion a une grande importance à nos yeux.

Ce sont des amis avec lesquels vous avez probablement partagé une suite d'expériences. Vous pouvez aller les voir lorsque vous avez des problèmes, des ennuis que vous ne pouvez pas résoudre facilement. Ils ne sont pas des mentors et peuvent ne pas vous donner d'avis nécessairement ; mais ils vous donnent un *feedback* honnête. Ils peuvent explorer un problème avec vous. Ils sont capables de voir clairement votre situation. Un homme d'affaires qui a travaillé à l'Etranger pendant de nombreuses années expliquait : « Lorsque je vivais en France, il n'y avait personne à qui je pus parler. C'est la raison pour laquelle j'ai quitté ce pays. Ici, à New York, je peux aller voir un tas de gens qui m'écouteront et me donneront des *feedback*. J'aurai besoin de ces gens si les choses vont mal. »

Lorsque nous sommes en crise et que nous avons besoin d'effectuer des changements ou de prendre des décisions importantes dans notre vie, c'est de cette sorte d'amis dont nous avons le plus besoin. Dans nos discussions avec eux, nous gagnons une certaine objectivité dans la manière de voir nos problèmes. Ces amis peuvent partager avec nous leurs problèmes, les mêmes ennuis, et des erreurs ou des succès qu'ils ont connus. De savoir que nous ne sommes pas seuls dans nos luttes, dans nos souffrances et dans nos erreurs, est une chose extrêmement importante.

Les amis intimes

Il peut exister une qualité particulière d'intimité dans l'amitié. Dans ces amitiés intimes nous pouvons nous ouvrir beaucoup plus largement. Mais il y en a peu avec lesquelles nous pouvons autant mettre en équation notre bagage mental et nos émotions. Ces amis-là qui nous aident à grandir dans notre dimension propre et dans notre entité, avec lesquels nous avons une aussi profonde relation psychologique et émotionnelle, sont rares.

Une jeune femme expliquait comment elle voyait cette sorte d'amitié : « Vous avez des amis avec lesquels vous grandissez et avec lesquels vous avez beaucoup en commun. Avec eux vous partagez des expériences passées, vos mémoires, l'amour de choses communes comme le petit village dans lequel vous avez grandi. Et puis voilà que vous rencontrez d'autres amis, plus tard, dans votre vie, avec lesquels vous pouvez partager beaucoup plus d'intimité – Avec ces amis-là, il existe un échange réel ; nous apprenons tellement ensemble, nous sommes capables d'exprimer nos sentiments les plus profonds ! Vous savez, c'est comme lorsque vous pensez à quelque chose sans arrêt et que vous vous butez à un mur. Si vous avez un bon ami, il peut vous aider. Quelquefois, il est difficile de penser tout seul. Mais avec ces amis, vous faites un effort réel. Ainsi vous ouvrez la barrière et vous allez plus loin. C'est une chose fantastique. Vous revenez chez vous et on dirait que toute votre âme a été ouverte. Et quand cela arrive, j'oublie tout le reste. Ce n'est même pas une question physique. Je peux m'asseoir avec un verre d'eau, je n'ai pas besoin de cigarette, de vin, *de sexe* ou de nourriture. C'est un sentiment de découverte, quelque chose à l'intérieur de vous semble grandir, et s'ouvrir et exploser. Mais le lendemain c'est comme si vous aviez goûté à un grand vin. Jour après jour, on dirait que ce sentiment continue à vous habiter. J'ai beaucoup plus d'énergie et beaucoup plus d'optimisme. Mais c'est une chose merveilleuse qu'on ne peut jamais oublier. »

Notre besoin de tester notre évolution intérieure et émotionnelle est reflété par les rencontres de groupes et les thérapies de groupes, dans lesquelles les conditions d'intimité sont structurées. Dans notre monde de mobilité, de temps télescopé, d'isolement par rapport aux engagements complets, de telles choses sont nécessaires. C'est un profond besoin d'ouverture à l'égard de quelqu'un d'autre. Mais la solitude qui existe dans un monde en changement envoie les gens dans ces arènes artificielles où ils peuvent se déshabiller et jeter au loin, la banalité et la façade de tous les jours et, quoiqu'il en soit, se régénérer.

Le problème est que ces rencontres de groupes sont artificielles. Beaucoup de ces groupes peuvent aider à briser la glace et à nous entraîner à l'intimité. Mais ils ne nous fournissent pas un contexte d'évolution. Nous pouvons développer ce contexte et une rencontre authentique avec des amis intimes en lesquels nous avons confiance, et avec lesquels nous pouvons partager nos ouvertures réciproques et notre évolution. Quoiqu'il en soit, ces amitiés intimes ne peuvent nous offrir toute la profondeur et toute la richesse d'une évolution mutuelle qui existe dans nos relations primaires avec nos partenaires. Malgré tout, la seule voie qui puisse nous prémunir contre ces forces incontrôlables, c'est de trouver son propre centre, de croire en soi-même, d'ignorer les voies conflictuelles qui nous environnent et d'écouter ses propres voies intérieures. C'est seulement de cette manière que nous pouvons intervenir en toute réalité dans ce monde extérieur, avec courage et avec conviction. La conséquence négative découle de notre mollesse à laisser les changements intervenir sans que nous nous y impliquions activement. C'est l'abdiquation à la tyrannie du contrôle extérieur, autant dans un sens social qu'individuel. Lorsque nous perdons notre autonomie individuelle et notre liberté de choix, la frustration, l'isolement, l'agression et la violence en découlent. Si vous ne vous administrez pas vous-même, par défaut, alors les circonstances, ou bien d'autres personnes, vous administreront. « Ce qu'un homme moderne réclame n'est pas la foi dans un sens traditionnel du terme, ainsi que le philosophe Maurice Friedman l'a dit, mais une cadence de vie, un plancher solide sur lequel se tenir et à partir duquel il peut s'envoler pour faire face aux réalités changeantes et aux absurdités de l'âge électronique. »

Dans l'espoir de clarifier notre idée de cadence de vie individuelle, afin de nous découvrir tout en découvrant ce que nous entendons par *se tenir debout,* nous avons besoin de savoir, non seulement quels sont les bornes qui limitent notre existence et la stratégie qui en est sous-tendue, mais aussi comment intégrer ces bornes et faire en sorte qu'elles soient à notre service. Une compréhension parfaite de ce genre *d'administration de soi-même* peut nous aider à réussir notre intégration dans une stratégie de vie qui soit absolument valable. Cela peut nous aider à reculer les limites de notre évolution.

Les nouveaux amis

Nous avons déjà mentionné que notre évolution, le fait d'avancer ou d'aller vers une nouvelle facette de notre vie, fera que nous serons parfois obligés de changer d'amis. Trouver de nouveaux amis requiert une réorientation de nos vieilles habitudes. Parce que vous évoluez, parce que vous savez davantage ce que vous voulez et ce qui vous procure du plaisir, viendra un temps où vous refuserez de maintenir une façade sociale, d'accepter de participer aux mêmes événements et aux mêmes dîners que les gens que vous aimez bien mais qui, dans le fond, ne vous conviennent plus. Quelquefois nos connaissances absorbent beaucoup de notre temps et nous distraient des buts généraux de notre vie – trop de possibilités, trop de nouveaux produits, trop de gens. Mais avec de nouvelles directions, des buts renouvelés dans notre vie, il ne doit pas être difficile de dire fermement : « non, je n'irai pas à ce dîner. Non, je n'irai pas perdre quatre heures à des choses qui ne m'intéressent pas. »

En nous faisant de nouveaux amis nous devons être conscients de nos schémas coutumiers qui gravitent vers ce qui nous ressemble. Se baigner dans les eaux chaudes de l'approbation inqualifiée, ou se sentir à son aise en partageant des banalités, ça ne vaut pas mieux que de prendre de l'*aspirine*. Nous pouvons trouver des gens qui sont différents et avec lesquels ou par lesquels nous pouvons évoluer. « Nous apprenons à connaître de nouvelles sortes de joie à partir de gens qui ne nous ressemblent pas, qui puisent leur intérêt et leurs valeurs dans des endroits que nous n'avons jamais explorés, et qui, de leur côté, n'ont jamais exploré les sphères qui nous intéressent, » a dit L. Stringer. Nous avons quelque chose à offrir à des amis qui sont différents de nous, et ils ont quelque chose à nous offrir aussi. C'est cette multiplicité d'échanges dans n'importe quelle relation qui est l'essence du progrès et de l'évolution.

Cette sorte d'amis peut être constituée de gens qui ont une vue différente de la nôtre. Ils sont d'autant plus importants qu'ils peuvent nous aider à *changer de vitesse*, à explorer d'autres possibilités, à trouver de nouvelles voies. Ils sont également importants après avoir *changé de vitesse*, lorsqu'il est plus facile de risquer, plus facile d'avoir confiance en soi alors nous pouvons être ouverts à de nouvelles idées. Mais c'est encore avec des amis que nous allons continuer à évoluer.

De nouvelles racines

Ainsi que nous l'avons vu, les relations sont essentielles à notre évolution et sont un pas intégral de notre *changement de vitesse*. Ainsi que nous gagnons une plus grande sécurité et que nous augmentons notre habilité à respecter à nos engagements, nous pouvons découvrir une consistance interne, un centre qui nous permettent de nous sentir à notre aise, quelle que soit la nature de nos relations.

Bien que la vie se défile beaucoup trop vite, que les changements s'accélèrent, que les traditions familiales et les coutumes disparaissent, que la stabilité de nos anciennes racines soit mise en doute, nous pouvons nous découvrir de nouvelles racines dans le présent. Nous pouvons nous créer tout un réseau de racines latérales, puisées à même nos relations interpersonnelles et qui peuvent s'étendre au-delà du temps et de l'espace. Ces racines latérales peuvent nous fournir une sécurité qui résistera au temps et aux changements et qui ne dépendra pas des bonnes vieilles racines familières et statiques du passé. Les relations peuvent nous donner une sécurité basée sur le partage et sur nos volontés de risquer d'évoluer ensemble. Pour cela, nous devons d'abord regarder nos similitudes — ces liens que nous retenons ensemble. Ainsi nous pourrons nous sentir à notre aise dans n'importe quelle situation, n'importe quel groupe, n'importe quelle foule, avec n'importe qui. Si alors nous essayons aussi d'apprendre de nos différences, même si nous sommes isolés et séparés par elles, si nous partageons nos joies et respectons la peine et les difficultés d'une évolution mutuelle que n'importe quelle sorte de relations peut amener, nous apprécierons notre lien essentiel à l'égard des autres personnes et, chose ultime, à l'égard de tous les hommes.

TROISIÈME PARTIE

Recherche personnelle de la sécurité: une stratégie de vie.

12 — La maturité créatrice.

CHAPITRE XII

LA MATURITÉ CRÉATRICE
PARTIE I :
L'AUTO-DÉTERMINATION.

Le défi

S'il nous est impossible de relever un défi par nos propres moyens, il se peut que nous ne trouvions bien peu de sécurité. Nous vivons dans un monde difficile, dans lequel notre avenir sera défini par la volonté des autres, dans lequel nous serons constamment en but aux changements extérieurs. Sans choix, nous ne pouvons guère avoir de direction précise. Sans une stratégie de vie qui nous soit propre, nous perdons le sens de soi-même et nous annihilons. Ainsi que Jules Henry, l'antrophologue, l'a dit : « Quand un homme n'est rien, il ne vit que par impacts reçus du monde extérieur ; il est une créature extérieure à lui-même, une surface de peur agitée par les vents des circonstances : une circonstance en amenant une autre — ou bien il est semblable à un cyclone de terreur dans lequel les impulsions du monde extérieur, comme une réaction en chaine, se multiplient à l'infini. » Lorsque nous vivons d'une telle façon, Jules

Henri allait le dire, nous ne considérons pas la réalité à sa juste mesure mais essayons plutôt de la détruire.

La réalité du monde environnant, incluant les impacts du changement, est bien quelque chose que nous pouvons rencontrer si nous sommes en évolution — nous ne pouvons pas capituler, nous ne pouvons pas abdiquer en faisant des choix.

Prendre le pas sur soi-même

Prendre le pas dans la vie, un pas pour soi-même, est une façon intégrale de *changer de vitesse*, grandir au travers des changements que nous dirigeons nous-mêmes. Il existe sept clés principales d'une auto-détermination créatrice qui peuvent nous aider dans ce sens :

1) Ne demandez pas de permission ! Faites-le!

2) Ne rendez aucun compte ! Faites vos propres comptes !

3) Ne parlez pas inutilement ! Cela vous diminue aux yeux des autres !

4) Ne vous en veuillez point ! Allez de l'avant !

5) Ne dites pas « j'aurais dû » ! Demandez-vous pourquoi : ou pourquoi pas ?

6) N'ayez pas peur de dire oui ou non ! Agissez selon vos convictions !

7) Ne confiez pas votre destin à autrui ! Choisissez le vous-mêmes !

Chacune de ces clés a un aspect négatif parce qu'il est nécessaire de faire opposition à nos capitulations fréquentes qui nous rejettent dans le conformisme, qui nous font croire que la sécurité dépend des autres personnes. Mais cet aspect négatif montre bien que rien ne nous oblige à suivre les autres ou à échouer parce qu'on a tenu compte de l'opinion des autres. La vérité est que nous pouvons comprendre et prendre en considération ce que les autres disent, mais pas plus. Si nous nous laissons conduire par autrui, nous n'avons rien à apporter aux autres. C'est seulement lorsque nous commençons à administrer notre propre changement que nous pouvons réellement adopter une voie de partage — Nous donnons à autrui ou à un projet ou a une situation hors de nos impressions et de notre indépendance, notre sécurité, mais pas en nous diminuant et en ayant peur. Le corrolaire de ces clés est : soyez sûr de vous-même.

Ces clés sont assez valables pour nous aider à changer et à évoluer de façon créatrice. C'est vrai qu'en disant non, qu'en demandant sans cesse des permissions, nous pouvons perdre de vieux amis. Mais si votre amitié est basée sur la peur et l'inquiétude, ces amis-là sont-ils vraiment les bons ? Une fois que nous cesseront d'attendre l'opinion des autres ils deviendra possible, pour nous, de donner aux autres et de les aider, parce que nous serons assez *forts* pour le faire.

Lorsque nous avons commencé à *prendre notre vie en main*, pour nous, il se peut que nous ayons rarement besoin des autres. Si une autre personne risque d'être affectée par ce que nous allons faire, alors nous pouvons nous demander ce que les autres pensent de notre façon d'agir. Essayez de prévenir les *feedback* et utilisez ces nouvelles informations dans l'élaboration de votre décision. Tenir compte de leurs sentiments est important. Mais ce n'est pas la même chose que de demander une permission. Demander une permission, c'est donner à quelqu'un d'autre un droit de veto sur notre vie ; d'un autre côté, demander des *feedback*, ce n'est que recueillir de l'information qui peut équilibrer le sens de nos besoins et celui de nos valeurs.

Connaissant vos valeurs et agissant en fonction d'elles, montre que vous êtes devenus vous-même, votre propre patron, votre propre guide. Nous pouvons toujours expliquer aux autres le pourquoi de nos décisions et de nos actes – ou de nos erreurs – et nous pouvons le faire par attention à l'égard des autres, et pas parce que nous nous sentons contrôlés par eux. Lorsque nous expliquons certaines choses à autrui, nous le traitons de manière égalitaire. Les autres personnes ne peuvent pas, ou n'acceptent pas nos explications les plus authentiques à cause de problèmes ou de barrages de leur part. C'est sans importance. On ne peut pas demander à n'importe qui d'être mature et l'on ne peut pas demander à n'importe qui de comprendre ou d'être en état de comprendre.

Une fois que vous êtes capable d'accepter la responsabilité de vos actes, et que vous êtes capable d'expliquer les raisons de ces actes aux autres, une fois que vous êtes capable d'examiner les aspects positifs et négatifs de vous-même, alors les autres doivent accepter votre authenticité ; sinon ils font figure de gens diminués, de gens dont le sens d'eux-mêmes est leur immaturité. Ils semblent moins sûrs de leurs valeurs qu'ils ne le sont des vôtres. Il est inutile de regarder ces gens de haut, mais, par pure attention à leur égard, leur exposer quand même la vérité au sujet de vos besoins.

Il y a des gens qui, indubitablement feront mauvais usage des règles d'auto-administration que vous aurez établies, les appliquant à tort ou à travers, de façon erronnée, tout en étant certains d'être dans la voie de la vérité, *de leur vérité*. Vous ne devez aucune explication aux autres ; mais si vous êtes capables d'en donner, vous allez dans le sens d'un changement mature et créatif ; mais essayez simplement d'échapper à la réalité par une fantaisie privée dans laquelle il n'est pas nécessaire pour vous d'entrer en relation avec le monde et avec les gens qui vous entourent. Le psychologue Robert W. White note qu'il est tentant de croire que nous pouvons changer en ouvrant simplement une porte et à laisser la vérité sortir d'elle-même. Or, de mal utiliser les clés de l'auto-détermination, en ce sens, ne conduit guère à d'heureux changements. Pour citer encore White : « Un changement n'est jamais simple. Ce que cela implique, ce n'est pas d'émettre une vérité mais de construire un nouveau soi-même, un nouveau soi-même qui transcendera graduellement les limites de la petitesse de l'ancienne. Ceci peut seulement être fait en voyant les choses différemment lorsque nous sommes en relation avec les autres. De nouvelles stratégies doivent être ébauchées, des stratégies qui exprimeront de nouvelles intentions et qui encourageront les autres à prendre leur pas réciproque dans l'amélioration des relations humaines. »

Les clés de l'auto-détermination que nous avons exposées sont des outils ainsi qu'une nouvelle stratégie permettant de négocier avec les autres et permettant d'exprimer ses besoins, malgré les inhibitions culturelles. Ces clés expriment une nouvelle inention. Lorsqu'elles sont accompagnées d'une explication de nos actes, elles peuvent donner du courage aux autres, un courage par lequel ils pourront, réciproquement, participer à un changement créateur.

Mais tout comme il est extrêmement important que vous n'ayez pas à demander de permission, à rendre des comptes aux autres, et à vous étendre inutilement, il est également important de ne pas remâcher sans cesse vos erreurs passées. Si vous perdez votre temps en de telles récriminations, resassant le remord à l'égard de chances à côté desquelles vous auriez pu passer, vous ne vous administrez pas bien et vous laissez plutôt le passé vous administrer. Prenez plutôt, dans votre passé, ce qui vous est utile. Apprenez de vos erreurs et souvenez-vous que rien n'est jamais perdu.

Lorsque vous vous dites : « J'aurais pu faire ceci » ou « Je n'aurais pas dû faire cela », vous êtes, dans de nombreux cas, en passe d'être victime du passé, suivant les règles énoncées par vos parents, vos professeurs et les autres maîtres que vous avez pu avoir et qui ont été, pour leur part, les artisans de notre crise culturelle. En vue de vivre dans le présent, et d'aller vers le futur, et de faire tout notre possible en tant qu'individu, nous devons commencer par faire la distinctin entre les *dûs* et les *n'avoir pas dû,* entre ce qui a un sens aujourd'hui et ce qui n'en a pas. Lorsque vous vous dites : « j'aurais dû », demandez-vous plutôt : *pourquoi ?* Lorsque vous vous demandez : « je n'aurais pas dû », demandez-vous plutôt : *pourquoi pas ?* Si vous n'obtenez pas une réponse qui a un sens valable pour vous et à l'égard de vos besoins d'évolution et d'accomplissement, alors il est certainement temps de mettre de côté cette règle du passé.

Il peut également être temps de dire *non.* Vous pouvez dire *non* à la règle du passé. Vous pouvez également dire *non* à un nouveau développement de la société que, personnellement, vous trouvez infructueux. Vous pouvez également dire *non* au changement, si vous en avez envie.

Lorsque nous aurons appris à dire *non,* nous pourrons nous donner la permission de dire *oui* aux choses que nous voulons réellement. En faisant face, avec succès, aux options qui se présentent à nous, nous pourrons souhaiter dire *non* autant que nous le voudrons aux demandes excessives des autres, aux autres gens, aux circonstances, aux obligations qui nous donnent l'impression d'être prisonniers et qui nous frustrent. Mais le revers de cette médaille est d'être capable de dire *oui,* pleinement et ouvertement, aux gens et aux circonstances qui comptent pour nous.

La dernière clé de notre auto-administration créatrice est une clé cardinale : ne confiez jamais votre destin à autrui. Nous avons tous besoin d'amis, de support, d'encouragement et d'aide de la part des autres — mais seulement comme un moyen d'être éclairés. Un docteur sérieux n'administre pas toute la vie de son patient : il lui dit, par contre, comment prendre sa santé en main. Dans cette existence complexe, on peut avoir besoin de l'aide de quelqu'un d'autre qui a beaucoup plus dexpérience dans sa propre spécialité. Nous sommes bien obligés de dépendre du commandant d'un avion, d'un chirurgien, ou d'un premier ministre. Mais le contrôle ultime de notre vie devrait nous appartenir à nous, en tant qu'individus. Vous ne pouvez pas donner de conseils à un chirurgien lorsque vous êtes allongé sur sa table d'opération, mais vous avez pu consulter plusieurs médecins avant d'en arriver là. C'est ça, l'essence de l'auto-détermination.

Le développement de techniques d'auto-administration vous conduit à avoir un contrôle de vous-même, un contrôle de vous-même en relation avec le monde. Ce qui ne veut pas dire que vous deviez tout contrôler. La personne qui a peur de tout ne se contrôle pas. Elle ne peut pas avoir de contrôle d'elle même, sauf qu'elle est entièrement contrôlée par des forces extérieures, des règles et même des apparences. Vous ne pouvez pas contrôler des circonstances ou d'autres gens. Mais vous pouvez vous contrôler vous-même. Vous pouvez administrer et diriger votre conscience selon les circonstances et selon les autres. L'auto-administration conduit à la découverte de nouvelles directions, à un sens rafraîchi de la liberté dans les limites de la responsabilité que la vraie liberté autorise. Celui qui essaie de tout contrôler emprunte une voie négative ; il essaie de mettre les circonstances et les autres personnes dans un moule préfabriqué. Il ressemble à quelqu'un qui irait dans un restaurant chinois et qui commanderait toujours des mets qui sont dans la colonne A. Par contre, la personne qui s'administre, qui se demande *pourquoi* et *pourquoi pas,* qui agit selon ce qu'elle pense et ce qu'elle ressent, a le choix de commander, non seulement des mets de la colonne *A,* mais des mets des colonnes *B* et *C,* ou n'importe quoi d'autre dans n'importe quelle colonne de son choix. Ou bien elle peut même décider d'aller dans un restaurant et de ne rien commander du tout. Tandis que la personne qui essaie de tout faire tomber sur son contrôle de façon négative ressemble à une personne qui aurait acheté un billet pour un voyage organisé de sa propre vie : lorsque les choses ne vont pas comme on l'avait prévu, les personnes qui s'administrent ont toujours la ressource d'ajuster leur feuille de route, de tenir compte des nouvelles circonstances et d'aller quand même de l'avant. Toutes les adversités peuvent devenir des avantages si nous avons la volonté de prendre une part intégrale à leur renversement.

En nous administrant nous en arrivons à comprendre beaucoup plus complètement ce que nous attendons de la vie. Nous en arrivons à connaitre nos priorités, nos besoins, nos désirs de façon beaucoup plus claire, et cette connaissance nous apporte inévitablement un sens plus élargi, non seulement de liberté mais de sécurité. La personne qui se connait bien, qui administre sa vie, peut tolérer un plus haut degré d'ambiguité qu'auparavant. Elle peut négocier avec beaucoup plus de succès face à son anxiété, et à ses conflits, parce qu'elle est sûre de ses propres capacités. De telles personnes peuvent éprouver beaucoup de plaisir face au changement ; elles peuvent même improviser avec confiance toute situation inconnue. Ainsi que le psychologue Abraham Maslow le suggèrait, de telles personnes peuvent faire face au lendemain sans peur, quoi que ce lendemain puisse leur apporter, parce qu'elles ont confiance en leur propre démarche. Cette démarche et cette confiance sont érodées à chaque fois que nous les mettons entre les mains d'autrui, à chaque fois que nous demandons des permissions, rendons des comptes à autrui, ou pleurons sur nos difficultés de façon inutile. Croire en soi, c'est augmenter, chaque fois, le prix de sa vie. L'auto-administration multiplie les moyens et la valeur de soi sans compter un sens plus large de sa personnalité et la compétence plus profonde qui en résulte.

PARTIE II :
LAISSEZ TOMBER VOS GUIDES

Devenez vous-mêmes

Au fur et à mesure que nous devenons nous-mêmes et que nous apprenons à administrer notre propre vie, nous nous détachons graduellement de nos anciens guides. Chacun d'entre nous a eu, dans le passé, des relations avec des gens qu'il admirait et desquels il a beaucoup appris. Ces gens-là sont nos conseillers, nos aviseurs, nos parrains et nos guides au travers de la vie. Ils représentent une partie de notre croissance — ces oncles, ces tantes, ces professeurs, ces prêtres, ces modèles dans notre profession choisie, ou ces amis. Nous avons besoin d'eux pour échanger, nous avons besoin d'eux pour grandir, nous avons besoin d'eux pour acquérir un sens de la sécurité, et l'espoir que ce qu'ils nous donnent ait un goût de prophétie. Si quelqu'un a confiance en nous, croit en nous, il nous donne une petite poussée vers notre accomplissement, quels que soient les rêves que nous entretenions.

Nos parents sont aussi des mentors, mais leur rôle est plus complexe. Pour un mentor, pour qu'il nous soit utile, nous devons l'avoir choisi. Nous n'apprenons pas autant de mentors qui nous sont imposés. Il arrive que certains d'entre nous aient choisi leurs parents comme mentors. Il se peut que nous avons eu des relations beaucoup plus difficiles avec nos parents. Et même, certains d'entre nous ont vu en leurs parents des antagonistes, une forme représentative de ce qu'ils ne voulaient pas faire.

Or, quelles que soient les personnes que nous ayons choisi comme mentors, arrive un temps où nous sommes prêts à les abandonner, à revenir libres et á devenir nous-mêmes. Nous allons beaucoup plus loin que la croyance qu'ils avaient en nous. Nous arrivons même à un point à partir duquel, si nous voulons devenir nous-mêmes, il est nécessaire de dire non à nos mentors. Abandonner nos mentors signifie que nous avons appris suffisamment de choses pour pouvoir administrer notre propre existence. Nous découvrons que, si nous les avons aimés, nous ne pouvons pas nous réaliser en suivant les conseils d'un professeur de philosophie de notre collège, du capitaine de notre équipe de football, de l'homme le plus âgé ou de la plus vieille femme qui nous auront aidé à devenir experts dans le cadre de notre premier emploi d'adulte, ou du plus vieux et du plus respectable de nos amis qui aura pu nous guider dans la vie.

Comme de nombreux autres aspects de la vie, comme nous changeons et évoluons, nous dépassons nos mentors, précédant parfois, de loin, le besoin d'être guidés, les dépassant même quelquefois en tant qu'individus. Lorsque vous êtes prêts à les abandonner — comme mentors, pas nécessairement comme amis, ce qui peut arriver — cela signifie que vous êtes devenu une personne indépendante, confiante, qui sait comment administrer sa propre vie. Au même moment où nous sommes prêts à abandonner nos anciens mentors, nous sommes également prêts à devenir mentors nous mêmes, donnant notre expérience et supportant, à notre tour, ceux qui ont besoin d'être guidés par nous. Quelques psychologues pensent, qu'en règle générale, l'abandon de nos mentors se situe dans la trentaine. Cet âge semble nous octroyer une plus large ouverture d'esprit, et une attitude face à la vie qui est, souvent, moins affectée par de faux critères du *mythe de la maturité*. Mais nous croyons qu'il n'y a pas de moment chronologique particulier à partir duquel nous devons abandonner nos mentors et devenir mentors à notre tour.

Enfin, la crise culturelle dans laquelle nous vivons a modifié les schémas de nos relations avec nos mentors. Cinquante ans auparavant, un jeune homme vivant dans une petite ville pouvait choisir le docteur local comme son mentor et, éventuellement, faire en sorte de devenir docteur lui-même et mentor à son tour d'un autre jeune homme. Mais dans le monde actuel, avec son extraordinaire mobilité, avec les familles qui se déplacent constamment, il ne peut être possible de prendre un seul mentor ou d'avoir un seul mentor au cours des années de notre adolescence et du début de notre vie d'adulte. Par la force des circonstances, nous sommes obligés de changer de mentor à chaque fois que nous déménageons. Et avec autant de nouvelles options qui nous sont offertes, nous pouvons découvrir que nous avons besoin d'un nouveau mentor à cinquante ans, lorsque nous entrons dans une nouvelle carrière, en même temps que nous sommes disposés à laisser nos anciens mentors et à devenir mentors dans notre propre sphère. Particulièrement, lorsque nous *changeons de vitesse*, nous pouvons nous trouver dans un état d'abandon de nos anciens mentors tout en étant en train d'en chercher un autre qui pourrait nous guider dans les premières étapes de notre nouvelle phase de vie. Aussi, choisir et abandonner des mentors est devenu un processus continuel, un renouvellement sans fin.

Il peut sembler inconvenant d'abandonner un mentor, de découvrir que quelqu'un que nous avons si profondément admiré ne peut plus nous servir de guide ; que nos points de vue peuvent diverger. Mais n'oublions pas que nous abandonnons quelque chose qui a eu une grande valeur en son temps, mais que, désormais nous allons gagner quelque chose d'autre, de certainement plus important. Et souvent, tandis que nous abandonnerons nos relations de mentor avec une personne donnée, nous découvrirons qu'à partir de notre nouvel avantage, il est possible d'entrer dans une nouvelle, une différente forme de relation avec la même personne.

Vous devez à nouveau rentrer chez-vous

La fameuse phrase de Thomas Wolfe : « Vous ne pouvez pas rentrer chez-vous à nouveau, » est vraie dans un sens littéral — vous ne pouvez pas, en effet, revivre exactement le passé — mais elle est fausse dans un autre sens. Beaucoup de gens ne souhaitent pas retourner chez eux — ils ne souhaitent pas voir leurs parents ou ne souhaitent pas se retrouver dans une situation de famille qu'ils ont trouvé difficile lorsqu'ils y étaient. Ils tentent d'intercaler certaines distances entre eux et leurs parents, autant physiquement qu'émotionnellement, effrayés du fait que s'ils n'agissent pas ainsi ils se trouveront pressés à revivre les schémas d'une génération passée qu'ils ont déjà trouvée ennuyeuse dans leur jeunesse.

Mais ainsi que nous l'avons vu plus tôt, s'éloigner ne résout pas toujours les problèmes. Celui qui va dans les mers du Sud pour échapper à son problème, emporte inévitablement une grande partie de ce problème dans ses bagages. C'est seulement en réglant un problème qu'on peut définitivement le classer. Si vous ne faites pas face à ce qui vous gêne ou à ce qui vous gênait dans le passé, si vous ne résolvez pas certains points précis, alors vous pouvez davantage, sinon autant, tout remettre en question, inconsciemment, mais dans une voie différente. La littérature psychologique concernant la thérapie familiale est pleine de tels exemples — le jeune homme qui ne voulait pas répéter les mêmes erreurs que celles de sa famille, dans laquelle il avait grandi, et qui avait déménagé à l'autre bout du pays, virtuellement loin de tout contact avec cette même famille, mais qui, soudainement, s'éveilla, un matin, en découvrant que son propre mariage n'était réellement rien de plus qu'une répétition du mariage de ses parents.

Aussi devient-il vital pour vous de retourner à la maison, dans le sens de faire face à vos parents sur un pied d'adultes à adultes, une fois devenu vous-même un homme ou une femme. Une fois que vous avez appris à administrer votre propre vie, une fois que vous avez atteint une sécurité personnelle, retourner chez vous peut vous libérer d'un passé, beaucoup plus effectivement que de vous en tenir loin. Tant que vous n'avez pas fait face à votre passé et dans vos propres termes, vous ne pouvez jamais être certain de l'emprise exacte qu'il a sur vous. C'est seulement en faisant face à vos parents et à vos anciennes situations de famille que vous pourrez pleinement affirmer votre propre individualité, vous prouver pleinement que vous avez dépassé ce *passé*.

Vous avez appris que l'amour conduit à l'acceptation des défenses des autres gens et des mythes qu'ils entretiennent à leur sujet, et que si vous ne croyez pas aux mythes de votre famille, cela signifie que vous ne l'aimez pas. Mais ce n'est pas vrai. Aimer m'implique pas de devoir toujours dire : *Excusez moi* — de façon plus réaliste, c'est être capable de dire que vous vous excusez mais pas nécessairement de penser à vous excuser lorsqu'il n'y a pas de raison valable de le faire. Dans de nombreuses familles, lorsque le fils ou la fille choisissent un style de vie largement différent de celui de leurs parents, ces derniers vont essayer de *pressurer* les enfants jusqu'à ce que ceux-ci cèdent. Et aussi longtemps que vous sentez que vous ne pouvez faire face à vos parents, que vous devez vous en tenir à distance, émotionnellement ou physiquement, c'est, qu'inconsciemment, vous les craignez encore. Vos parents peuvent continuer à vous pousser dans certains retranchements, dans l'espoir qu'il soit dit que, après tout, ils avaient raison et que vous aviez tort. Mais une fois que vous aurez réellement développé vos éléments d'auto-administration, que vous serez devenu sécure à l'égard de vos propres choix, leurs pressions n'auront aucun effet sur vous. A partir de là, une nouvelle forme de relations entre vos parents et vous, entre votre passé et vous, commencera inévitablement.

PARTIE III :
UNE NOUVELLE APPROCHE
DE LA SOLITUDE

La peur de la solitude

Nous avons peur d'être seuls ou de nous sentir seuls parce que nous ne dépendons pas de nous-mêmes. Nous sommes devenus si habitués à dépendre des autres que nous nous sentons perdus si nous sommes seuls. La peur d'être seul est devenue une obsession nationale. Nous appartenons à des groupes. Nous trouver une journée entière sans quelqu'un d'autre est abominable. Nous cherchons continuellement l'approbation d'autrui. Nous ne comprenons pas ceux qui souhaitent être seuls, quelquefois. Nous pensons que le gars qui va seul à la plage ou qui préfère sa seule compagnie n'est pas normal. Mais attention, il faut faire une distinction entre être seul et *la solitude*. Etre seul est bien vu. La solitude est mal vue.

Or, il est temps de reconnaitre que la solitude n'est pas mauvaise. *Etre seul* et *la solitude* sont deux choses différentes — et nous avons besoin de chacune des deux. Etre seul nous donne le temps de réfléchir, d'explorer. La plupart d'entre nous sommes prêts à reconnaitre les bénéfices de cette sorte d'auto-exploration. Beaucoup de gens, même s'ils reconnaissent ces bénéfices, disent qu'ils finissent toujours par sentir un sentiment de solitude — et par la même occasion rejettent toute idée d'une auto exploration.

Nous avons peur de la solitude parce que nous l'associons avec du temps perdu, avec de la privation. Une personne chère meurt, nous arrivons à la fin d'un projet, nos enfants grandissent et quittent la maison — et nous ressentons une profonde solitude. Nous ne pensons pas seulement cela en relation avec des gens mais en relation avec toute sortes d'activités. Les athlètes professionnels ont ce sentiment à la fin d'une saison, des acteurs à la fin d'une tournée, des travailleurs de la construction lorsqu'ils ont terminé un édifice ou un gratte-ciel. Chaque fois que nous avons ce sentiment qu'une implication personnelle est arrivé à son terme, nous nous sentons seuls, coupés de quelque chose qui était devenu une part de soi-même. Ce sens de perte et de nostalgie découle de n'importe quelle forme d'attachement, qu'il s'agisse d'amour ou d'habitudes familiales. Les personnes qui ont un sens très restreint d'elle-mêmes, sont insécures, ne connaissent pas leurs propres capacités et sont, le plus souvent, seules. C'est dans la solitude, après tout, que nous semblons le mieux évaluer nos limites. Et c'est dans la solitude que nous nous trouvons face à face avec la séparation essentielle qui existe entre nous et tous les êtres humains, entre nos univers. C'est justement parce que ces caractéristiques de solitude existent qu'il est si nécessaire et important, pour nous, de les comprendre.

Solitude créatrice

La solitude est nécessaire parce qu'elle réaffirme, en même temps qu'elle montre beaucoup mieux la séparation entre les hommes, les objets, les projets. Cette séparation est un facteur de base de l'existence humaine. Et si nous la vivons nous vivons également par nous-mêmes. C'est seulement lorsque nous faisons face â ce fait de base avec courage que nous pouvons trouver notre lien réel avec la vie, avec soi-même et avec les autres. C'est, bien sûr, un paradoxe — mais la vie n'est faite que de paradoxes que nous devons transcender. Nous nous découvrirons plus profondément en nous transcendant dans nos rencontres avec les autres. Et ainsi, nous serons en mesure d'être toujours *nous-mêmes.* Notre gloire et notre désespoir découlent de la même source : notre habileté unique à définir notre propre vie, à choisir, et à changer de choix quand les anciens schémas ne nous suffisent plus.

Comme pour le reste, c'est notre attitude à l'égard de la solitude qui compte. Vous pouvez adopter une attitude négative. Dans ce cas il ne faudra vous en prendre qu'à vous-même. Vous pouvez également adopter une attitude positive, la reconnaître comme une expérience essentielle et humaine et l'utiliser de façon créatrice pour connaître, découvrir votre centre et réorienter votre vie. — C'est durant cette période de solitude que nous sommes le plus profondément en accord avec le centre de notre nature humaine, que nous pouvons le plus largement reconnaitre le fait que nous sommes obligés de rester seuls. Si nous refusons de reconnaître ce fait, nous ne serons jamais réellement sécures parce que nous tournerons le dos à la réalité. — C'est l'homme qui confronte la réalité et qui cherche la meilleure voie d'en faire usage par son courage. — C'est seulement lorsque nous sommes seuls, que nous pouvons admettre notre séparation, que nous pouvons faire pleinement usage de nos ressources individuelles afin de trouver nos relations les plus totales avec les autres. Quand l'amour et la compréhension des autres, ou à l'égard des autres, sont basés sur un sens profond d'une découverte de soi-même en confrontation avec notre solitude, alors elles sont basées sur la réalité autant que sur une fausse expectative, imposée par les autres.

De savoir que vous seul pouvez vous changer vous-même, que vous seul pouvez prendre la décision d'évoluer, que vous seul êtes le point central de référence de votre vie, peut être une immense expérience de solitude. Mais, en dehors de ça, elle peut devenir une grande force et une grande conscience en votre habileté à faire face à votre vie, une sécurité que la peur ne peut pas détruire.

PARTIE IV : CRÉATIVITÉ

Composer avec le rationnel et l'irrationnel

Ainsi, même si la maturité réelle est basée sur le fait de faire face à notre solitude, il serait faux de penser que la solitude est une situation mélancolique. Une vraie maturité nous donne l'habileté de former notre plus profonde et notre plus profitable relation et, de plus, comme Abraham Maslow l'a dit : « Les gens les plus matures sont ceux qui peuvent avoir les plus grands plaisirs. » Par là, il veut dire que lorsque nous sommes suffisamment matures pour connaître et accepter notre nature telle qu'elle est, la sécurité intérieure que nous ressentons fera son possible pour libérer les aspects créateurs qui rendront la vie excitante, riche et amusante. Maslow utilise l'exemple de ceux qui sont suffisamment sécures pour s'abandonner à la joie, avec à peine ce qu'il faut de folie et d'inconsciente gaieté ; pour rire, pour apprécier, il faut posséder une certaine dose de créativité. Cette forme d'ouverture est très différente de la réponse de l'homme digne, ordonné, conscient, et rationnel qui porte un masque, qui a peur de perdre le contrôle de lui-même et qui n'est jamais libre de sa conscience, se contrôlant à tout instant. Un tel homme est un type compulsif, obsessionnel, qui est dirigé par ce que les psychologues appellent un processus secondaire. Le processus secondaire est celui qui est rationnel, logique et sensible, réaliste. Toutes ces qualités sont nécessaires dans la vie, mais lorsque que quelqu'un ne possède que celles-ci, et est dirigé par elles, il est sur le point d'abandonner une partie de son identité la plus profonde. » De telles personnes abandonnent leur imagination, leur poésie, leur habileté à jouer, leur fantaisie, leur rire même. Leur spontanéité, parce qu'elles répriment tout.

Le mythe de la maturité a, malheureusement, faussé de nombreuses idées. Et si nous les acceptons, nous devons souvent abandonner notre créativité. Ainsi, nous écartons nos processus primaires : ceux qui sont les plus primitifs, les plus archaïques et les aspects les plus irrationnels et les plus inconscients. Et ce sont justement ces processus primaires qui recèlent les qualités et les ressources essentielles à toute créativité. C'est de leur utilisation que naît notre habileté.

Un individu réellement mûr, est capable de combiner ensemble le rationnel, les processus secondaires et irrationnels, les processus primaires dans une voie créatrice. Maslow a découvert qu'une personne en bonne santé, ou bien équilibrée, est une personne qui a réussi à faire une synthèse de ses processus primaires et secondaires : autant conscients qu'inconscients, autant profonds que superficiels.

Lorsque nous nous abandonnons suffisamment, que nous sommes ouverts à ces processus primaire, nous pouvons regarder nos problèmes, ainsi que nous-mêmes, sous un nouvel angle. Un artiste créateur ou un scientifique pigent dans leur environnement, expérimentent, essaient différentes choses : ils découvrent l'interaction qui existe entre les éléments, qu'ils soient rationnels ou irrationnels. Ainsi peuvent-ils les examiner à la lumière de leur logique, de leur raison et de leur sens commun.

Nous pouvons utiliser la même technique en affrontant nos propres problèmes et nos crises.

Une créativité actualisée

Malheureusement, notre société ne nous facilite pas la tâche et ne nous permet pas toujours d'employer toutes nos ressources créatrices : le conformisme, que notre culture exalte, annihile l'innovation et l'imagination. On nous oblige souvent à ignorer la partie imaginative de soi-même, écoutant seulement ces voix qui remontent de notre vie passée, de nos supérieurs ou bien de nos parents.

Nous muselons nos impulsions créatrices, les refoulant profondément dans notre inconscience. Le docteur Sylvano Arrieti, qui a énormément écrit sur la créativité, a défini six conditions propres à la créativité. Il a écrit : « un créateur est une personne qui n'écarte pas, ne combat aucune idée qui lui semble irrationnelle, inconséquente. Il les accepte dans le répertoire de son inconscience. » De nombreuses personnes voient la créativité comme quelque chose de mystérieux, une muse qu'il faut capturer et encourager.

Les six conditions suivantes, propices à la créativité, sont basées sur les travaux du docteur Arrieti et nous vous les citons :

1) Solitude : ce mot n'est pas pris dans un sens de réclusion et de peine, mais dans le sens d'être seul, loin des clichés et des conventions de la société. Quand vous êtes seul, il est moins possible aux autres de contrôler votre individualisme, les groupes et les équipes ont leur place et leurs valeurs, mais il est clair qu'un peintre tel que Picasso ou un compositeur tel que Beethoven n'aurait guère pu produire en équipe. Sans aide ou sans secours de quelqu'un d'autre, chacun de nous a son propre potentiel de créativité. Notre idéal américain de travail en groupe rend la solitude créatrice plus difficile à atteindre.

2) *Inactivité* : pas de façon excessive, mais la suspension temporaire de certaines activités est un moyen de se concentrer plus intensément. Un taux excessif d'activités routinières tue l'activité mentale et la créativité. Nous avons besoin de donner aux autres la permission d'être inactifs, en dépit du fait que notre société prône *la routine*.

3) *Le rêve* : nous avons déjà mentionné le rêve dans d'autres contextes tout au long de ce livre. Il est important pour la créativité et peut ouvrir à l'individu de nouvelles voies de recherche.

4) *Le souvenir* : il est important de savoir utiliser nos souvenirs afin d'extrapoler dans notre recherche et dans notre créativité.

5) *Acceptation* : il est très important d'être ouvert. Une personne créatrice le devient beaucoup plus en acceptant ce qui arrive de l'intérieur et devient plus critique à l'égard de ce qui arrive de l'extérieur.

6) *Alerte et discipline :* si ces qualités sont nécessaires dans toute productivité, elles prennent une dimension spéciale en créativité. Parce que sans travail et sans discipline notre créativité ne nous conduit à rien.

CONCLUSION

Chacun de nous peut être créateur, chaque jour de sa vie, et dans de nombreuses voies. La créativité est une attitude à l'égard de la vie. C'est davantage une matière d'improvisation et l'utilisation d'une inspiration que de fournir quelque chose d'étiqueté *créativité,* admiré et socialement utilisé. L'invention et la créativité d'un enfant, ainsi que Maslow nous le rappelle très fréquemment, ne peuvent être définies en termes de produit. Lorsqu'un jeune garçon découvre le système décimal cela peut être pour lui un grand moment d'inspiration, et un grand moment de créativité. Lorsque nous regardons quelque chose sous un éclairage nouveau et dans une nouvelle perspective, ou lorsque nous découvrons une pièce musicale pour la première fois, nous devenons créatif. Chacun de nous, s'il est assez ouvert et assez curieux peut devenir créatif en faisant des choses simples de manière assez originale. Nous pouvons être créatifs dans la manière d'élever nos enfants, dans notre ouverture et nos réponses à leur égard. Nous pouvons être créatifs dans le cadre d'évènements ordinaires de la vie de tous les jours, dans notre manière d'enseigner, notre manière de communiquer et d'écouter, en innovant et en découvrant une nouvelle façon de faire de vieilles choses. La créativité peut s'exprimer, même dans la façon de considérer un pique-nique à la plage ou dans la façon de jardiner.

La créativité est là, en nous, et non pas dans ce que nous produisons. Mais grâce à elle nous pouvons découvrir l'ensemble de notre propre nature personnelle, nous pouvons évoluer et aller de l'avant, nous pouvons faire, de notre vie, quelque chose de sublime, mettant en relief tout notre potentiel humain. Lorslque nous pouvons faire face à des crises et passer au travers d'elles, lorsque nous sommes capables de repousser très loin nos limites et les limites imposées par le *mythe de la maturité,* nous pouvons évoluer en toute confiance vers une maturité créatrice qui suscitera notre intérêt, la joie et le plaisir tout au long de notre vie. Et nous serions parfois surpris de découvrir, en nous, beaucoup plus que nous espérions, beaucoup plus de potentiel que nous n'avions jamais imaginé.